Мои

БОЛЬШИЕ

КОРОЛЕВСКИЕ

свадьбы

КоЛибри

Москва

УДК 793.2 + 929.731
ББК 63.3(0)
   Ш59

Фоторедакторы С. Пухова, А. Мертехина
Художник А. Ивойлова
Научный редактор Д. Зуев
Дизайн и верстка М. Джгерная
Дизайн обложки Т. Васильева

На обложке: Свадебные кольца Фелипы, принцессы Баварской,
и ее жениха Кристиана Динста. Германия, 12 мая 2012 г.
Фотография для обложки предоставлена Photoshot / Vostock Photo

Ш 59   Мои большие королевские свадьбы/ Андрей Шилов; М.: КоЛибри, Азбука-Аттикус, 2013. — 208 с., илл.

ISBN 978-5-389-02996-5

Книга дарит читателю опыт, причем не простой, а королевский: событие, которое даже для особы королевского происхождения неповторимо и невероятно волнительно, – свадьбу.

Над устройством королевских свадеб – церемониями, убранством, платьем, украшениями, угощением, музыкой – веками трудятся лучшие умы и самые блестящие дарования, не только из данного королевства. В книге раскрывается потрясающая панорама самых знаменитых монарших свадеб XX и XXI веков, с историями знакомства, предсвадебными волнениями, описанием самых удивительных подробностей происходящего (дождь из гвоздик, приземление к столу на парашюте, поцелуй невестой-принцессой руки жениха-простолюдина) и с фотографиями, выполненными виртуозами жанра. Читатель перемещается из десятилетия в десятилетие, из Швеции в Японию, из Иордании в Нидерланды, из Великобритании в Испанию и видит, что в свадебной традиции принцесс все больше места занимает настоящая любовь. А ведь это для монарших союзов совершенно нехарактерно. Внимательно изучив историю королевских династий и дворов Европы и Азии, А. Шилов описывает образ жизни принцесс, их правила, привычки, привилегии и табу. Чему они учатся, с кем водятся, где работают и чем увлекаются, что едят на ужин и какие скелеты прячутся в их шкафах. Еще одна глава – описание всего, без чего невозможна настоящая королевская свадьба: выбор времени и места, подарки, кольца, устройство пира и приглашение гостей.

Кроме того, издание дает перечень советов – что в королевских свадьбах можно перенять. В числе таких сведений – подробнейший рецепт фруктового торта с тамариндом, созданный Фионой Кернс, который готовится от недели до трех месяцев (этот торт подавали на свадебном обеде в честь герцогини Кембриджской Кэтрин и принца Уильяма).

Все эти уникальные истории, секреты и образы теперь принадлежат читателю.

УДК 793.2 + 929.731
ББК 63.3(0)

ISBN 978-5-389-02996-5

© А. Шилов, текст, 2013
© ООО «Издательская Группа «Азбука-Аттикус», 2013
  КоЛибри®

Кире

Кто такие принцессы и откуда они берутся

Как стать принцессой? Некоторые могут подумать, что проще всего ею родиться, но это совсем не так — ведь тогда нужно заранее выбрать себе королевских родителей (что мало у кого получается). Все-таки чаще принцессами становятся уже взрослые девушки — потому что находят себе принца.

В 2012 году в Люксембурге принцессой стала Стефания де Ланнуа, выйдя замуж за местного наследника престола. Годом раньше принцессами стали Кейт Миддлтон и Шарлен Уитсток. Можно подумать, что всех королевских наследников девушки уже расхватали, но и это будет ошибкой – принцев на выданье полно и сегодня: принц Гарри в Великобритании, брунейский принц Азим, иорданский кронпринц Хусейн, шведский Карл Филип, подрастают принцы бельгийские – Габриэль и Эммануэль, не говоря уже о целой компании принцев в Лихтенштейне и о принце Георге Кембриджском, будущем британском монархе. Каждый из них рано или поздно выберет себе невесту, причем, судя по королевским свадьбам XXI века, принцессами все чаще становятся девушки неголубых кровей – так сказать, из народа.

Правда, надо сделать небольшое пояснение. Вообще кто такая принцесса? Титулы – на удивление сложная и запутанная вещь. Достаточно сказать, что у нынешнего наследника британского престола Чарльза жена была принцессой Уэльской, но не была принцессой Дианой. Как такое может быть? Дело в том, что по монархическим правилам Соединенного Королевства слово «принцесса» перед своим именем может ставить только та, кто ею родилась, а Диана ею стала, выйдя замуж за принца. С другой стороны, Зара Филипс – принцесса по крови, но не по названию. По маме она внучка нынешней британской королевы, но отец Зары отказался от титула, и его дети остались ни с чем!

В России, строго говоря, принцесс вообще никогда не было. Дочек российских царей одно время звали цесаревнами, потом Великими княжнами, а после свадьбы – княгинями. Супругу правящего сейчас в Монако Альбера II тоже зовут княгиней (потому что Монако – княжество), а супругу правителя Люксембурга величают герцогиней, потому что муж у нее – герцог. И все же особы монарших фамилий по всему миру – дочери и внучки правителей, их жены и сестры, – какой бы титул они ни носили, в прессе обычно зовутся принцессами. Это удобнее, да они особо и не возражают.

Но, так или иначе, став принцессой, как ею остаться? Как вести себя, как одеваться, что есть, что говорить, что делать – короче говоря, как настоящей принцессой быть? Путь принцессы начинается с королевской свадьбы, и хотя готовых рецептов тут нет, путем проб и ошибок, страстей и стараний лучшие девушки королевств создали целую науку. Привычки стали традициями, и многие из них вышли за стены королевских дворцов. Люди по всему миру часто и не подозревают, с кого берут пример.

Поэтому, если вы собираетесь стать принцессой или если вы ею уже стали (хотя бы и в глазах своего любимого), – открывайте эту книгу. Она для вас.

Принцы без обручального кольца

Принц Карл Филип

Род. в 1979 г. В очереди на шведский престол третий. Изучал графический дизайн и сельскохозяйственный менеджмент. Придворным церемониям предпочитает многочисленные хобби: лыжник, охотник, яхтсмен и гонщик. Десять лет встречался с работницей пиар-агентства. Последнее время его девушка – модель и звезда местного реалити-шоу София Хельквист.

Принц Азим

Род. в 1982 г. Один из сыновей султана Брунея, третий в очереди на престол. Известен учебой в Королевской военной академии в Сандхерсте, куда был послан отцом на 9 месяцев, но сбежал через неделю. С особым размахом отмечает свои дни рождения, на которых гостьям старше себя – мировым звездам экрана и сцены – дарит драгоценности на миллионы долларов.

Принц Гарри

Род. в 1984 г. Четвертый в очереди на престол Соединенного Королевства. Окончил Итон, выполнял настоящие боевые задачи в Афганистане. Самый шальной и непредсказуемый из нынешних Виндзоров: баловался наркотиками, на одной из вечеринок разделся догола. Извиняясь за очередной случай некоролевского поведения, Гарри заявил, что он «скорее солдат, чем принц».

Кронпринц Хусейн

Род. в 1994 г. Старший сын иорданского короля. Наследника престола описывают при дворе как любителя книг, футбола и мотоциклов. В 2012 г. среднее образование завершил в частной школе в Иордании. С тех пор ведет студенческую жизнь без родителей за границей, изучая международные отношения в Джорджтаунском университете в США.

Принц Габриэль

Род. в 2003 г. Сын короля Бельгии Альберта II, в очереди на трон второй. Отучился четыре класса в брюссельской школе иезуитов, куда ходят внуки бельгийского монарха. Любит играть в футбол и уверенно катается на горных лыжах (отдыхает с семьей во Французских Альпах). С девочками пока не водится по причине юного возраста.

Принц Эммануэль

Род. в 2005 г. Еще один сын бельгийского короля, в очереди на трон третий. Один год принц отучился в школе обычной, потом его перевели в школу для детей с проблемами в обучении, где он закончил второй класс. Любит играть с машинками. Близкие друзья – брат Габриэль, который старше его на два года, и две сестры, особенно младшая.

1

Мир принцессы

Судьба и корона

Принцессы не становятся во главе войска, не учреждают новую религию, не меняют государственный строй. Но как часто от принцессы зависит судьба королевства! К тому же там, где речь о любви, временами вмешивается то ли случай, то ли судьба.

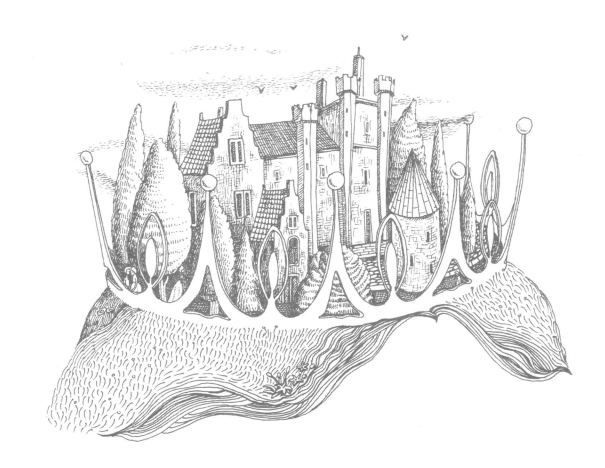

вышла замуж за Оттона I, короля Германии, который потом стал и первым императором Священной Римской империи. Отвергнутой второй принцессе, к счастью, не пришлось идти в монастырь: ей тоже нашёлся жених, хотя и не такой именитый.

В обратную сторону (из Германии в Британию) принцессы тоже временами ехали по воле случая: 22-летний Георг III, только став британским монархом, срочно искал себе жену и попросил советника составить список немецких принцесс с достоинствами и недостатками каждой. И вот так, вслепую, из списка, Георг выбрал себе жену, с которой увиделся впервые только в день свадьбы 8 сентября 1761 года. Что самое интересное, случай оказался счастливым: Георг III и Шарлотта Мекленбург-Стрелицкая и вправду понравились друг другу. Это чуть ли не единственный брак британского монарха, в котором супруги друг другу не изменяли. Они жили большей частью за городом, оба любили природу и сельское хозяйство. Георга так и называли «королём-фермером», а королевские яблоки Шарлотта использовала в фирменном рецепте – по преданию, она первой испекла десерт шарлотку.

Предложить принцессу в жёны союзнику – проверенный способ заключения политического альянса. В 929 году германский король Генрих I Птицелов попросил первого короля всей Британии Этельстана прислать какую-нибудь принцессу для его сына Оттона. А вдруг принцесса не понравится? Заранее ведь не проверишь. Этельстан вышел из положения так: чтоб подстраховаться, он послал сразу двух сестёр-принцесс. Повезло Эдит Английской, да ещё с повышением: она

Японскому кронпринцу Хирохито в 1917 году пришлось делать выбор не совсем вслепую: он мог подглядывать. Девушек подходящего возраста и статуса тогда специально пригласили на чайную церемонию, а наследник, не показываясь им на глаза, выбирал себе будущую жену. И выбрал – свадьбу с принцессой Нагако Куни сыграли через 7 лет, в 1924 году.

На предыдущем развороте: Королевская идиллия. Шведская кронпринцесса Виктория целует спящую сестру, принцессу Мадлен. 1982 г.
Вверху: Норвежский кронпринц-победитель Харальд и кронпринцесса Соня. 1970 г.

Но как быть с незнатными особами? Стать принцессой – вот это поворот судьбы! Эдуарду IV как-то на охоте приглянулась девушка по имени Елизавета Вудвилл – и легенда гласит, что в ответ на горячее желание короля она поставила условие: только после свадьбы. Так английский король в 1464 году впервые в истории женился на подданной, и дочь графа Елизавета Вудвилл стала королевой.

А бывает наоборот: судьба хочет помешать королевским планам. Четырнадцатилетняя датская принцесса Анна в 1589 году вышла замуж заочно (у себя дома, в Копенгагене) за шотландского короля Джеймса VI. Это обычное дело в те времена, когда с транспортом было еще не очень, а политика уже требовала быстрых решений. Анна отправилась на корабле к мужу в Шотландию, но попала в шторм и пропала. Джеймс не отчаивался, искал никогда не виданную жену и нашел – через четыре месяца, в Норвегии.

А вот и норвежская история, пусть и совсем из других времен. Девушка некоролевских кровей, модельер Соня Харальдсен, потеряла отца и долго не выходила в свет. На первой же вечеринке у знакомого в 1959 году она познакомилась с местным кронпринцем Харальдом. Родители его были совсем не в восторге от такой перспективы, но Харальд фактически поставил папе-королю ультиматум: или девушка становится принцессой, или королевства больше не будет. Харальд был единственным наследником, и, действительно, если бы не было потомков, на нем династия бы закончилась. Король посоветовался с правительством и все-таки согласился – выхода не было.

Уж совсем не предполагала японка Митико Седа, что ее жизнь изменит теннис – и нежелание играть в поддавки. В 1957 году она безоговорочно выиграла на корте у японского кронпринца, с этого начался их роман. Правила старейшей в мире монархии не давали Митико никаких шансов – она не была аристократкой, но чувства оказались сильнее. В эпоху модернизации принц изменил вековые правила, и в 1959 году Акихито и Митико стали мужем и женой.

Вообще случай помогает тем, кто к нему готовится. Вот, например, английский король Генрих VIII предложил сестре Марии Роуз Тюдор выйти замуж за французского короля Людовика XII. По тогдашним меркам монарх был стариком – 52 года, и сколько принцесса Мария ни плакала, королевскую волю пришлось исполнять. Но с одним условием: если переживет Людовика, то выйдет за того, кого действительно любит (назовем это своеобразным брачным контрактом). Судьба, а возможно, слишком рьяные попытки зачать наследника, сделали свое дело: старик Людовик через 82 дня умер – и принцесса Мари вышла замуж за любимого герцога Саффолка. Монарших почестей ей уже не оказывали, но все же до конца жизни называли королевой.

Замуж по любви?

«ЗАМУЖ ПО ЛЮБВИ ИЛИ ПО РАСЧЕТУ?» – ЭТОТ ВОПРОС СТАЛКИВАЕТ МЕЧТЫ С РЕАЛЬНОСТЬЮ. НАСЛЕДНИЦЫ ПРЕСТОЛА ВЕКАМИ ПОДЧИНЯЛИСЬ ДОЛГУ, РЕДКИЕ ИЗ НИХ БУНТОВАЛИ, ЕДИНИЦАМ ВЕЗЛО. ДОРОГА ПРИНЦЕСС К ЭМАНСИПАЦИИ ДЛИННЕЕ, ЧЕМ У ОСТАЛЬНЫХ ЖЕНЩИН.

Наследную принцессу с младенчества убеждают в том, что замуж она выйдет за того, за кого надо. Варианты при этом бывают неплохие. Скажем, вы принцесса без особых королевских перспектив, и тут вам предлагает руку и сердце наследник какого-то престола. Стоит ли задумываться о чувствах? Впрочем, правильные принцессы стараются не просто принять такую выгодную партию, а на самом деле влюбиться. Датская принцесса Мария-София-Фредерика-Дагмара познакомилась с наследником российского престола, Великим князем Николаем Александровичем, и партия поначалу складывалась удачно: датчанка понравилась русскому принцу, он понравился ей... Николай сделал предложение Дагмар, и молодые были помолвлены. Но в следующем году 21-летний наследник неожиданно скончался! И тут отчаявшейся, потерявшей жениха датчанке делает предложение новый наследник

престола, младший брат усопшего... Что делать? Короче говоря, в 1866 году датская принцесса таки стала русской Великой княгиней, а потом и Императрицей Марией Федоровной.

А бывает наоборот: принцесса стала императрицей, а любит кого не надо. Монарх без фаворитов – дело редкое, на увлечения высочайших особ двор смотрит сквозь пальцы. Но выйти замуж Ее Величеству за неровню – форменный скандал! Дочка Петра I Елизавета (которую отец хотел отдать за французского короля) взошла на российский престол незамужней, давно любя Алешу Розума, бывшего церковного певчего из малороссийской деревни Лемеши. Паренька когда-то привезли в столицу и определили в придворную капеллу – замеченный кем надо, Розум стал Алексеем Разумовским, кавалером ордена Андрея Первозванного, фельдмаршалом и графом. Мало того – через год после восшествия Елизаветы на российский престол Разумовский стал мужем императрицы. Но тайным. Иначе никак.

Веками казалось: принцессам надо знать кого любить. Одного примера шотландской королевы Марии Стюарт на века хватало для воспитания чувств: девушка явно предпочитала государственным интересам свои страстные увлечения, замуж выходила трижды, растеряла и авторитет, и земли – история Шотландского королевства на ней закончилась. Когда спустя четыре столетия английская принцесса Маргарет влюбилась в разведенного королевского конюшего Питера Таунсенда и согласилась стать его супругой, королева Елизавета деликатно попросила младшую сестру подождать годик – мол, у меня коронация на носу, потом первая долгая поездка в новом статусе. И тут Маргарет начали обрабатывать по полной: англиканская церковь предупредила, что такой брак не признает, парламент заявил, что тоже, и Маргарет напрямую говорили, что придется ей отказаться от статуса принцессы. Роман королевской сестры был совсем не тайной для публики, более того, оказалось, что народ в большинстве своем принцессу поддерживает и желает ей счастья в этом браке. Не год, а два года продолжалось ожидание, но Маргарет все же не рискнула. «Я решила не выходить замуж за капитана Питера Таунсенда», – сказала она стране в специальном заявлении. Да еще подчеркнула, что решение принимала сама – как будто ей кто-то поверил. Потом Маргарет вышла замуж за «правильного» жениха Энтони Армстронга-Джоунса, но вскоре начались ее романы на стороне. Не решившись потрясти династию браком по любви, Маргарет

в 1976 году все же сумела потрясти публику редким в те годы королевским разводом.

К концу XX века королевские браки по любви стали казаться нормой, но не будем забывать самых смелых, принцесс-пионерок. Одной из первых любовь, а не долг выбрала дочь японского монарха Хирохито: в 1960 году 21-летняя принцесса Суга вышла замуж за 25-летнего банковского служащего Хисанагу Шимацу. Приданое было вроде немаленькое – более 40 тысяч долларов (сегодняшними деньгами это больше 300 тысяч), но с другой стороны – и это всё, на что способен император Страны восходящего солнца? Не важно, не в деньгах счастье. К тому же сумму определил специально принятый закон.

Место жительства счастливых молодоженов благодаря прессе не было тайной – и нашлись же такие, кто решил бывшую принцессу украсть, чтоб получить выкуп! К счастью, один из участников банды в последний момент связался с полицией, и злоумышленников арестовали. Так судьба уберегла от неприятностей простую японскую гражданку Такако Шимацу. Бывшая принцесса (хотя многие считают, что принцессы бывшими не бывают) до сих пор наслаждается свободой, на которую не посягают ни преступники, ни охрана императорского дворца.

Справа: Примерная романтика. Принцесса Маргарет и ее «правильный» жених Энтони Армстронг-Джоунс прогуливаются в день объявления помолвки. 1960 г.

Кто кого ищет и как находит

ОБРЕСТИ КОРОЛЕВСКУЮ СУДЬБУ –
МЕЧТА МИЛЛИОНОВ. НО КАК ВСТРЕТИТЬСЯ
ПРЕДСТАВИТЕЛЯМ РАЗНЫХ СОСЛОВИЙ?
И КТО ПОМОГАЕТ УСТРАИВАТЬ
БРАКИ РАЗНЫХ ДИНАСТИЙ?

19

Например, художники. В XIV веке для юного французского короля Карла VI регенты устроили «фотосессию»: специально нанятый художник написал портреты трех кандидаток – Баварской, Австрийской и Лотарингской. В результате выбрали политически правильную Изабеллу Баварскую (французам нужна была поддержка тамошнего герцога в борьбе с англичанами).

В XVII веке портреты юной испанской инфанты Маргариты Терезы регулярно писал придворный художник Диего Веласкес, и неспроста: Маргарита в трехлетнем возрасте была помолвлена с 14-летним Леопольдом, наследником престола Священной Римской империи. Помолвка не свадьба, вещь нена-

дежная, легко переиграть – картины Веласкеса одну за другой слали из Мадрида в Вену, чтоб суженый не забывал о невесте. В 15 лет хорошо знакомая Леопольду по портретам Маргарита наконец-то приехала в Вену сама и все-таки вышла замуж – уже за императора.

А если с портретом не складывается? В 1623 году в Испанию инкогнито отправился сам наследник английского престола, будущий Карл I, чтоб рассмотреть возможную невесту, испанскую инфанту. Поездка с самого начала была авантюрной: наследник трона поехал вместе с фаворитом своего отца герцогом Бэкингемом (говорят, в поездке они тоже стали близки), оба носили накладные усы и бороды. Но испанцы выдвинули принципиальные условия: Карл должен был перейти в католичество и год прожить в Мадриде после свадьбы. Переговоры закончились полным провалом: не то что о браке не договорились, но разругались с испанцами и даже требовали потом в парламенте объявить Испании войну.

Похоже развивался и один брачный проект между Россией и Швецией: в 1796 году в Петербург инкогнито приехал молодой шведский король Густав IV Адольф. Переговоры шли о его браке с внучкой императрицы, Великой княгиней Александрой Павловной, – и, судя по чувственным танцам на балах, дело продвигалось неплохо. Но на религии зашли в тупик: Россия хотела, чтоб русская жена шведского монарха оставалась православной, а шведский закон этого не разрешал. Великая княгиня в конце концов вышла замуж за австрийского эрцгерцога, а шведский король женился на немецкой принцессе.

Слева: Выбранная по портрету Изабелла Баварская прибывает в Париж

Вариант высочайшего брака без переговоров тоже возможен – так вышло у монгольской императрицы Мандухай Мудрой. В 1465 году она вышла замуж за Мандуул-хана и родила двух дочерей, но ей не повезло: в 18 лет осталась вдовой, к тому же без наследников. В это время ей привезли малолетнего сироту Бату-Мункэ, прямого наследника Чингисхана – и Мандухай-хатун без разговоров приютила его и выбрала себе в будущие мужья. Дождавшись 19-летия наследника, 34-летняя императрица вышла за него замуж и родила от потомка Чингисхана дочь и семерых сыновей.

Это вошедшие в историю переговоры принца Чакрабона, сорокового ребенка сиамского короля Рамы V, и Екатерины Десницкой, младшей дочери киевского статского советника. Один из первых тайцев, выучивших русский язык, Чакрабон был любимым сыном Рамы V и по приглашению российского императора был отдан учиться в петербургский пажеский корпус. В российской столице Чакрабон познакомился с красавицей Десницкой, и в 1906 году они обвенчались.

Общаться с любимым по электронной почте и эсэмэсками целых 15 лет пришлось японской принцессе Саяко. Она познакомилась с молодым Иосики Курода в клубе любителей природы и культуры Университета Гакусюин, но встречаться с простолюдином принцессе было не положено. Разрешения на брак с простым служащим мэрии Саяко добилась, только отказавшись от статуса принцессы – в Японии до сих пор чрезвычайно строгие правила королевского житья.

А в Европе роял-правила в основном облегчили в XX веке – поэтому ничего удивительного нет, например, в том, что бельгийский принц Лоран остался принцем, женившись на оценщице недвижимости Клэр Кумс. С чего началось их общение? Кто бы мог подумать! Лоран и Клэр вместе мыли посуду после вечеринки у общего знакомого.

> – Вам не нравятся электрические вентиляторы?
> – Почему же, нравятся...
> – А то ведь в Бангкоке это единственное спасение
> от жары...

Слева: Через месяц Саяко, дочь императора, перестанет быть принцессой. На ней кимоно дзуни хитоэ из 12 слоев шелка. 2005 г.
Вверху: Киевлянка в Сиаме. Принцесса Сиама Екатерина Чакрабон (Десницкая) и ее сын, принц Чула. Начало XX в.

Что можно только им?

САМЫЕ МЯГКИЕ ПЕРИНЫ, САМЫЕ
ВОСТОРЖЕННЫЕ ВЗГЛЯДЫ – ЧЕМ ТОЛЬКО
НЕ БАЛУЕТ ИХ МИР. НО НАСТОЯЩАЯ ПРИНЦЕССА
ВИДНА НЕ В ПРИВИЛЕГИЯХ, А В ТОМ, КАК ОНА
ИМИ ПОЛЬЗУЕТСЯ.

На званом обеде, празднике, рауте – везде ей рады. Любое представление она смотрит из отдельной королевской ложи (а остальным зрителям при этом легко рассмотреть саму принцессу!). Британский «The Royal Variety Performance», сборный музыкальный концерт перед Рождеством, по традиции посещают королевские особы. В 1963 году королева-мать с дочерью, принцессой Маргарет, слушали в королевской ложе Театра Принца Уэльского новых звезд под названием «Битлз» – как же этим зрительницам в тот момент завидовали миллионы британских девушек! Перед последней песней «Twist and Shout» Джон Леннон обратился к залу с просьбой: «Кто на местах подешевле – хлопайте. А остальные (он показал пальцем на ту самую ложу) побренчите драгоценностями». Королева с принцессой проявили британскую выдержку и под взглядами камер любезно улыбнулись.

Принцессы, казалось бы, лучшие модели для домов моды – кто же еще на виду всю жизнь. Да и внешне их занятия выглядят похоже – ходи и улыбайся. Монакская принцесса Стефания даже работала моделью для швейцарской компании La Prairie, для Vogue ее снимал король модной фотографии Хельмут Ньютон.

Но за мамой ей так и не удалось угнаться, хотя принцесса Грейс никому специально не позировала. После свадьбы голливудской звезды и принца Монако фотографы просто не отставали от пары ни на шаг, а пресса обсуждала, когда же у новобрачных родится первенец. Грейс не раз появлялась на людях, держа обеими руками дорогой подарок мужа, сумочку (да, подарки принцессам дарят незабываемые). Позже оказалось, что Грейс заботилась не о сумочке: она прикрывала округлявшийся живот. Фотографии разошлись по всему свету, и французская компания Hermes до сих пор продает эту вместительную сумку под названием Kelly bag («сумка Келли»).

Их высочества (как и их величества) всю жизнь выслушивают комплименты, и это, конечно, удовольствие, но тут важно правильно отвечать. Русская царица Елизавета и будущая императрица, Великая княгиня Екатерина Алексеевна, однажды разговорились на петербургском балу, где дамы и кавалеры поменялись костюмами. «Мадам, – любезно заметила Екатерина, – для нас, женщин, большая удача, что вы выступаете в роли кавалера лишь сегодня вечером. Иначе вы были бы слишком опасны». «В таком случае я без сомнения стала бы поклоняться вам», – ответила Елизавета.

24

Королевские скачки Royal Ascot славятся жестким дресс-кодом. В 2002 году фотомодель Пенни Ланкастер (тогдашняя девушка музыканта Рода Стюарта) пришла туда в супердевичьем наряде, в мини-юбке, – и что же? Ее просто не пустили на трибуну, потому что простолюдинке выбиваться из правил нельзя. А принцессе – можно (хотя нужно знать меру). В 1983 году в особенно жаркую погоду принцесса Уэльская Диана пришла на те же самые скачки при полном параде, в правильных туфельках и шляпке – но без чулок. Несколько десятилетий этой народной привилегией принцессы – если ноги идеальные, можно и без чулок – пользовались и лучшие светские львицы королевства. В последние годы чулки снова стали входить в моду – и благодаря кому? Конечно, той, у кого есть эта привилегия поступать по-своему – благодаря принцессе, точнее, герцогине Кембриджской, Кейт.

Подобрать принцессам лучшую одежду помогают мастера, в XX веке их самих стали звать королями – королями моды. В 1959 году к 23-летнему Иву Сен-Лорану обратилась Фарах Пехлеви, невеста иранского шаха. Она попросила сшить ей свадебное платье. Дружба восточной правительницы и парижского гранда продолжалась даже тогда, когда монаршей семье пришлось бежать из Ирана.

Отдельная роскошь, доступная принцессам, дружба с художниками – ведь это, можно сказать, привилегия на вечную красоту. Та же Фарах Пехлеви, открывшая у себя на родине музей современного искусства, сама попала в арт-историю, когда ее нарисовал Энди Уорхол. Сама Фарах уже давно в изгнании,

Уорхол скончался, а портрет гламурной правительницы живет своей жизнью и в 2007 году на аукционе Сотбис ушел в руки частного коллекционера за 356,5 тысячи фунтов стерлингов.

В 2012 году смело посмотрела в лицо современному искусству кронпринцесса Дании Мэри: она удостоилась громадного портрета из старых газет, выполненного художницей Гуггер Петтер. Та же мастерица ранее представляла публике газетный портрет президента США Барака Обамы – но интереса к портрету принцессы, конечно, было больше.

Весь мир у их ног, о чем еще могут мечтать принцессы? Есть о чем. На встрече с Папой Римским (одетым в белую сутану) любая женщина – даже принцесса – должна быть в черном, да еще и с длинными рукавами, а голову надо прикрыть шляпкой или мантильей. Мантильей! Первые красавицы, конечно, и из такого положения выходят с блеском, а что им остается? Но испанская принцесса Летиция, по крайней мере, может надеяться на другой цвет своего наряда (это привилегия королев католических монархий). Когда ее супруг, кронпринц Фелипе, наконец вступит на испанский престол, то для встречи с Папой Летиция сможет забыть о черном и, словно на свадьбу, оденется во все белое.

Дом или дворец

Некоторые принцессы не могут жить без дворца. А самое интересное, что и некоторые дворцы не могут жить без принцесс. Ведь они созданы друг для друга.

Ладья с беседками – для султанского отдыха. Брунейский дворец-рекордсмен Истана Нурул Иман

Самый большой в мире дворец – Истана Нурул Иман – построил в 1984 году султан Брунея Хассанал Болкиах, одно время самый богатый человек на Земле, да и сейчас не сильно обедневший. Поскольку Бруней – абсолютная монархия, вопрос наследников был ключевым. Сын у султана был – Аль-Мухтади Билла, и было сыну 10 лет, а вот жены у сына не было. И зачем тогда дворец, если нет принцессы? Беспринцессным дворец стоял 20 лет, нервозность нарастала, и в 2004 году наконец-то сыграли свадьбу: 30-летний кронпринц женился на 17-летней простолюдинке Пенгиран Анак Саре. 1788 помещений, в том числе 257 ванных комнат, 44 лестницы, 5 бассейнов – есть где развернуться. Вскоре принцесса родила сына, а потом и дочку. Султан спокоен: 200 тысяч квадратных метров, 150 «роллс-ройсов», личные самолет, вертолет и власть в султанате перейдут от сына внуку.

Предков индийской принцессы Вилаят Махал англичане лишили власти еще в 1856 году. Тогда это происходило со всеми навабами и махараджами в Индии – колонизаторы, впрочем, оставляли большинству недвижимость. Но династии Оуэд с дворцом не повезло, и более века спустя, в 1975 году, последняя из рода Оуэдов, Вилаят Махал, уверенная, что без дворца принцессе жить решительно невозможно, устроила себе резиденцию прямо на железнодорожном вокзале Нью-Дели. С двумя детьми, пятью слугами и 12 собаками она прожила там 9 лет (вначале прямо на платформе, а потом в вип-зале). Пожалела ее только глава индийского правительства Индира Ганди: наследной принцессе выделили Малча-Махал, заброшенную постройку XIII века без дверей, водопровода и электричества, заселенную только летучими мышами. Принцесса переехала в завоеванный дворец и прожила там до конца своих дней. Теперь там живут ее дети, принц Риаз и принцесса Сакина. На пол они постелили старые персидские ковры, но за водой по-прежнему посылают за 2 километра. Дворец королевских особ должны привести в порядок за госсредства, уверена принцесса Сакина.

То пусто, то густо – это точно про королевскую жилплощадь. В XVI веке 20-летняя английская принцесса Елизавета Тюдор попала в королевскую тюрьму Тауэр, а потом под домашний арест, когда единокровная сестра, королева Мария, заподозрила ее в заговоре. Закончилось все благополучно: после смерти

Марии принцесса стала королевой Елизаветой I и поселилась в крупнейшем в Европе Уайтхолльском дворце. А вот несчастная принцесса Уэльская Гвенлиан в XIII веке попала в тюрьму в годовалом возрасте – просто за то, что была принцессой! – и провела в заточении всю оставшуюся жизнь, 54 года.

Так что принцессам без дворцов приходится тяжко, а вот и история про то, каково дворцам без принцесс. В конце XX века английская королева Елизавета II построила в поместье Саннингхилл просторный двухэтажный дом и подарила его в 1990 году своему младшему сыну, недавно женившемуся принцу Эндрю. В доме в Саннингхилле росли внучки королевы, принцессы Беатрис и Евгения, там устраивали шумные праздники, приезжали гости, там пел Элтон Джон и веселились на аттракционах. Но в 2004 году принцессы оставили дом в Саннингхилле и переехали в дом скончавшейся прабабушки, королевы-матери. Опустевший дом три года ждал покупателя – и был продан за 15 миллионов фунтов стерлингов. Но кому? – это остается тайной до сих пор. Ходили слухи, что дом принцесс купил сын президента Казахстана, но в Саннингхилле так никто и не живет, дворы заросли травой, замки сбиты, в разбитых окнах гуляет ветер. Местные власти даже подумывают отобрать этот дом у таинственного, не появляющегося хозяина и переделать в ночлежку для бездомных. Жизнь без принцесс у дома явно не задалась.

А судьба княжеского замка Монако зависит сейчас от живущей в нем принцессы. С отвесной скалы над Средиземным морем

династия Гримальди правит больше 700 лет, и построить новый дом не может хотя бы потому, что места нет (площадь Монако – всего 2 квадратных километра). Так что это один из самых старых дворцов в мире, в котором живет сегодня принцесса. И требуется от нее то, чего ждут от всех принцесс – родить наследника.

До 2002 года перспективы у княжеского трона были безрадостные. Правила допускали передачу власти только законному ребенку последнего правившего князя. Взрослый наследник трона Альбер жениться не собирался и был склонен к непродолжительным романам (у него как минимум двое внебрачных детей). Получалось, без принцессы заканчивалась история независимого Монако, а дворец из резиденции монарха превращался просто в элитную недвижимость на Лазурном Берегу.

Последние годы подарили княжескому дворцу надежду: во-первых, в Монако изменили правила наследования престола – если у Альбера так и не будет законных детей, власть перейдет к его сестре. А во-вторых, князь в 2011 году женился. Теперь 36 тысяч подданных ждут, когда забеременеет принцесса Шарлин – может, виды на Средиземноморье и стены древнего замка и вправду помогут монакским молодоженам.

Школа настоящей принцессы

Кому труднее – принцессе крови или избраннице из народа? С детства воспитываться по строгим придворным правилам или выучить их экспресс-курсом перед свадьбой? Ведь экзамен на звание «настоящей принцессы» приходится держать каждый день.

Одна юная принцесса из династии Оранских как-то рассердилась на свою горничную. Но как выразить возмущение? Какими словами? Воспитание не просто не позволяло принцессе ругаться – она действительно не знала никаких грубых слов. И поэтому в сердцах высказала служанке, что та – «противная грязная оловянная тарелка».

Марию Луизу Австрийскую воспитывали в такой чистоте и невинности, что и собачки у нее были все женского пола, чтоб даже намека вокруг не возникало на тему секса. Но когда принцесса приехала к Наполеону, то, выйдя из кареты, практически сразу, к изумлению придворных, пошла за ним в спальню. Церемония бракосочетания была впереди, но

формально они уже были женаты (венчание прошло заочно). Более того, в кровати после первого раза она попросила жениха сделать это еще раз. А все потому, что с детства ее учили во всем подчиняться супругу, – она так и сказала Наполеону. Императору Франции оставалось только заметить секретарю: женитесь на немках, это лучшие женщины в мире, предупредительны, невинны и свежи как розы. Хотя дело не в немках – это скорее характеристика идеальной принцессы.

Английскую принцессу Лилибет, ставшую потом королевой Елизаветой II, с детства научили, как обходиться, например, с главным аксессуаром – сумочкой. Поставив сумочку на стол, королева подает знак свите, что пора заканчивать официальную встречу, а если

ставит сумочку слева от себя на пол – это значит: «мне нужна помощь». Невестка королевы, леди Диана, королевского воспитания не получала и пожалела об этом на первом же выходе в свет в качестве будущей принцессы в 1981 году. Она держала сумочку в правой руке, а надо, оказывается, строго в левой (правая нужна, например, для рукопожатий)! Это была ошибка, замеченная всеми, – да и вообще о том приеме принцесса вспоминала как о полном кошмаре. Княгиня Монако Грейс, опытным глазом заметив растерянность Дианы, отвела ее в уборную – скорее чтоб приободрить, чем давать советы бывалой принцессы. Диана рассказала о своем волнении, о том, как трудно справляться с чувством изоляции, о страхе перед будущим. «Не волнуйся, – шутя ответила Грейс. – Дальше будет намного хуже».

Срочно подучиться хорошим манерам решила австралийка Мэри Дональдсон, познакомившись в сиднейском баре с датским кронпринцем Фредериком. Почти за 1200 австралийских долларов Мэри по четыре часа в неделю полтора месяца училась основам этикета: как правильно входить в комнату и выходить из нее, как красиво стоять, как поворачиваться, как жать руку. Это были курсы «для тех, кто хочет изменить свою жизнь» – и каково же было изумление учителей, когда через год они увидели ее фотографию в газетах и узнали, как и вправду изменилась ее жизнь! Датский двор предложил Мэри перед свадьбой углубленный курс придворных манер для будущей принцессы, но и австралийские занятия были кстати, за те полтора месяца Мэри стала держаться перед телекамерами гораздо увереннее и сбросила 5 кг.

Японская принцесса Айко пробует силы в абстрактной живописи. 2005 г.

Дочку наследника японского престола, принцессу Айко, родители не стали воспитывать дома, отдали учиться с главной целью – чтоб девочка росла среди сверстников, чтобы была ближе к народу. Школу «Гакусюин» заканчивали многие члены императорской фамилии, не такая уж она и простая – но все ж это лучше, чем быть запертой во дворце. Однако вскоре восьмилетняя Айко пришла домой с болями в животе и в сильном волнении, и родители подумали, что над девочкой издеваются. Шокированная японская пресса даже предположила, что кто-то из одноклассников побил маленькую принцессу, но официальные лица развеяли слухи: живот болел просто от переживаний, Айко приняла слишком близко к сердцу, что ее ровесники в школе бегали и кричали. Неделю она оставалась дома, во дворце, а потом стала ходить в школу в сопровождении мамы, кронпринцессы Масако.

Поведснию в экстремальных ситуациях теперь учатся все принцессы, хоть во дворцах это и не афишируют. После помолвки с принцем Уильямом Кейт Миддлтон, к примеру, прошла интенсивный курс персональной защиты: как вести машину в чрезвычайных обстоятельствах, как действовать в случае нападения, а если захватят в заложники – как правильно общаться с террористами и передавать зашифрованные сообщения. Короче говоря, как справляться даже с самой невероятной ситуацией.

А ведь это может случиться с любой принцессой. Дочь королевы Елизаветы II, принцессу Анну, в 1974 году попытался взять в заложники сумасшедший британец: он

«подрезал» машину принцессы недалеко от Букингемского дворца, остановился и открыл стрельбу. Положение было крайне серьезным: были ранены полицейский, шофер принцессы и находившийся рядом журналист. Нападавший потребовал от принцессы выйти из машины и поехать с ним, чтобы потом ему заплатили два миллиона фунтов выкупа. Как рассказывали, принцесса ответила что-то вроде: «Ни черта подобного! И двух миллионов у меня нет!» – и сумела выпрыгнуть из машины в другую сторону. По версии самой Анны, ответ был гораздо вежливее: «Не думаю, что хочу идти с вами», но вывод следует тот же: принцесса должна всегда держать себя в руках.

Работа

Строго говоря, предназначение принцессы – родить наследника престола. Но ведь есть еще призвание, непоседливость и желание помогать другим.

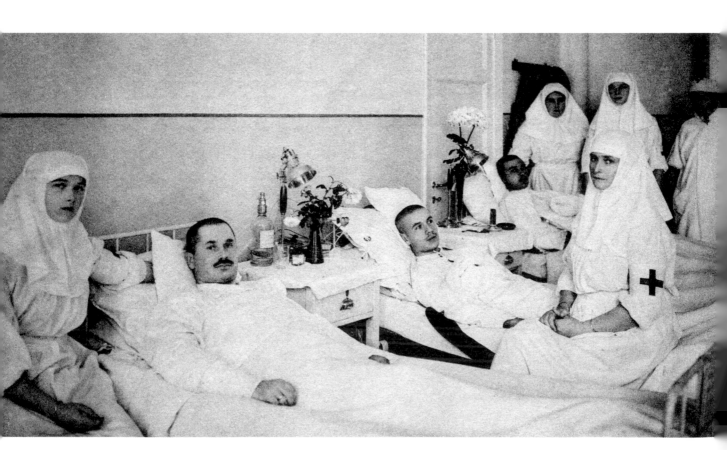

Квалифицированные сестры милосердия.
Императрица Александра Федоровна (сидит справа), Великие княжны Ольга (сидит слева) и Татьяна (прямо за матерью). 1914 г.

Принцессы, принцы, королевы и короли во многих странах давно утратили голос в политике, но лицом политических событий остаются: открывают заседания парламентов, представляют свои страны с визитами. Начинать тут никогда не рано: бутанской принцессе Аши Эуфельме было всего 11 лет, когда она сопровождала маму-королеву во время длинного 12-дневного визита в Индию в 2005 году.

Само слово «принцесса» уже притягательное: стоит принцессе появиться на каком-нибудь приеме – тут же будут и папарацци. Собрать средства, привлечь внимание к какому-нибудь делу – достаточно просто поработать лицом. Принцесса Йоркская Беатрис призналась в своей дислексии и поддерживает благотворительный фонд, помогающий детям с этой проблемой. Шведская кронпринцесса Виктория рассказала, что страдала анорексией – такую искренность оценили многие ее современницы.

А бывает и серьезная работа по совместительству. Принцесса Зоя, дочь византийского императора Константина VIII, жившая в X веке, всерьез увлекалась косметикой, причем не просто ее использованием, а производством. Прямо у себя в покоях Зоя Порфирородная экспериментировала с ароматическими веществами и мазями, среди рецептов от императрицы Зои, например, омолаживающая мазь – смесь фиников, слив,

изюма, луковиц лилии, меда и мирры. Сама Зоя антиэйджинговыми масками тоже пользовалась, и результат был налицо, что одних впечатляло, а других наводило на нехорошие мысли: дело в том, что Зоя побывала замужем за тремя императорами и умирали они, говорят, от ее ядов.

Самые разные бывают принцессы-писатели: византийская Анна Комнина в XII веке дописывала за мужем исторические записки, а норвежская Марта Луиза в XXI веке пишет сказочные истории, например, «Почему короли и королевы не носят корону» (говорит, потому, что, ходя в Норвегии на лыжах, трудно удержать ее на голове). Причем Марта-Луиза отказалась от денег отца-короля – мол, сама заработаю. Теперь принцесса ездит с публичными чтениями по всему миру и преподает в своей клинике альтернативной медицины, обещая научить общаться с ангелами.

Греческой принцессе Мари-Шанталь, чья семья живет в изгнании, писательских гонораров тоже не хватает – она придумывает детскую одежду, которую продают в фирменных магазинах в Нью-Йорке, Лондоне и, конечно, в Греции.

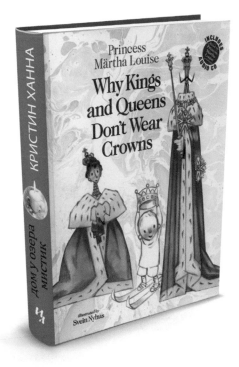

Род южноафриканской принцессы Франсины Ндиманде из племени ндебеле утратил королевские привилегии еще в XIX веке, но принцесса все-таки знаменита на весь мир: она стала художницей. Разрисовывает здания – от церквей в ЮАР до университета в Голландии – и успешно продает картины на аукционах.

Это все творческие мирные занятия. А вот примеры военных времен: 18-летняя принцесса Елизавета (будущая британская королева Елизавета II) вступила в добровольное женское подразделение британской армии и выучилась на водителя грузовика (шла Вторая мировая война). И это не сегодняшний вариант с простой сдачей экзамена на права: Елизавета научилась даже разбирать и соби-

Слева: Норвежская принцесса Марта-Луиза пытается расколдовать принца. 2002 г.
Вверху: Знаменитая книга «Почему короли и королевы не носят корону»

рать мотор! А в Первую мировую прошли курс обучения, сдали экзамены и работали сестрами милосердия в лазаретах Царского Села российская императрица Александра Федоровна и две ее старшие дочери – Великие княжны Ольга Николаевна и Татьяна Николаевна.

Но вернемся к тому, с чего начали – к государственным делам. Датская принцесса Елизавета выучила три языка (французский, английский, немецкий) и стала дипломатом. В структуре датского МИДа она проработала 45 лет (с 1956 по 2001 год) – например, в датском посольстве в Вашингтоне и в датской миссии при ООН в Женеве. Сейчас кузина датской королевы больше не работает (возраст все-таки пенсионный, родилась в 1935 году), но по-прежнему патронирует общества датско-бразильской и датско-японской дружбы.

Индийская же принцесса Гаятри Деви из династии Джайпура родилась еще во времена Британской империи, в 1919 году, но после обретения Индией независимости и упразднения королевских привилегий ей пришлось переквалифицироваться. Принцесса трижды избиралась в парламент, однажды отсидела в тюрьме (за уклонение от уплаты налогов), потом, как и положено, написала книжку и, наконец, удостоилась биографического художественного фильма в свою честь.

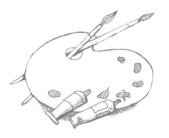

Чем заняться на досуге?

Вышивание и квиллинг, живопись и спорт, цветоводство и путешествия. Чем заняться на досуге, когда время есть вроде бы на все?

Сегодня, кажется, больше всего спортсменок. Летиция Ортис Рокасолано, вышедшая за испанского принца, научилась кататься на горных лыжах – это увлечение всей королевской семьи, принцессе нельзя отставать. По склонам еще катаются принцессы Монако, Каролина и ее дочь Шарлотта, а норвежская принцесса Марта-Луиза так и вовсе инструктор по горным лыжам.

Из редких спортивных увлечений принцесс выделим шахматы (русская царевна Софья, сестра Петра I) и бадминтон (нынешняя индонезийская принцесса Сириваннавари Нариратана). Но главный спорт принцесс, несомненно, конный: благородно, в меру консервативно и фотогенично.

Пионеркой тут стала принцесса Циниска в те времена, когда и смотреть на конные олимпийские соревнования женщинам не разрешали: Циниска жила в древней Спарте. О том, чтобы лично участвовать в гонках на колесницах, не могло быть и речи – но что же делать, если очень хочется? И принцесса все же стала первой в истории олимпийской чемпионкой! Она участвовала в играх не лично, а как владелица скакунов: именно принадлежавшие ей лошади прискакали на олимпийских гонках первыми, причем на двух Играх подряд.

Словно в отместку за то, что спартанской принцессе мешали заниматься своим увлечением, сегодня принцессы просто захватили власть в конном спорте – Международную федерацию конного спорта возглавляет иорданская принцесса Хайя бинт Аль Хуссейн. Многочисленные их высочества – любительницы лошадей (вроде шведской принцессы Мадлен) равняются на английскую принцессу Анну (участницу Олимпиады-76 в Монреале, два серебра и золото европейского чемпионата) и ее дочь Зару Филлипс (чемпионку Европы и мира по троеборью). Заре бабушка Елизавета II даже вручила орден Британской империи за успехи в конном спорте.

Квиллинг тоже звучит по-спортивному, но это совсем другое, таким сегодня никто из принцесс и не займется – терпения не хватит: это мастерство складывать композиции из скрученной бумаги. Когда в XVIII веке бумага перестала быть дорогим удовольствием, бумажным рукоделием увлеклись многие дамы в Европе. Длинные узкие полоски бумаги сворачивали в спиральки и создавали из них цветы и узоры. Дочка английского короля Георга III принцесса Елизавета скрутила немало чудных вещиц – например украшенный квиллингом каминный экран.

Другая принцесса Елизавета (будущая королева Елизавета I) тоже была рукодельницей – в шесть лет она подарила брату рубашку, которую сшила и вышила узорами сама! А еще принцесса пробовала силы в художественном переводе.

История трогательная: мать Елизаветы, Анна Болейн, когда-то была фрейлиной при французском дворе, скорее всего, была знакома с сестрой короля Маргаритой (королевой Наваррской) и точно восхищалась ею. Позже Болейн сама стала королевой, женой английского

Вверху: Собственноручно расшитый будущей королевой Елизаветой I Английской переплет книги «Зерцало грешной души»
Внизу: Квиллинг – это искусство на досуге. Экран, защищающий лицо от жара камина, украсила еще одна принцесса Елизавета. 1787 г.

короля Генриха VIII, родила принцессу Елизавету, но попала в немилость, была объявлена изменницей и обезглавлена. Имя ее при дворе упоминать запрещалось. Прошли, как говорится, годы. Дочка «изменницы», принцесса Елизавета, выросла, и вкусы у нее оказались похожими на материнские! Она тоже заинтересовалась Маргаритой Наваррской и в 11-летнем возрасте перевела на английский поэму, которую написала королева Маргарита – «Зерцало грешной души». Свой перевод принцесса посвятила мачехе и вручила ей книгу в обложке собственной работы (рукодельница!) – шелком вышитые инициалы королевы «KP» (Katherine Parr, Екатерина Парская) в обрамлении узоров и с анютиными глазками по углам.

> *Главную любительницу цветов долго искать не надо: цветовод №1 в королевском мире – Жозефина Богарне, первая жена Наполеона. Она собирала коллекцию роз со всего мира и выращивала всякую экзотику: в ее честь еще при жизни Чилийский Колокольчик назвали Лапажерией (по девичьей фамилии Жозефины ла Пажери), а одна африканская трава получила имя Жозефиния.*

Кстати, об Африке: тамошняя принцесса Сиханизо Дламини (1987 года рождения) – дочь короля Свазиленда Мсвати III, редкого в сегодняшнем мире абсолютного монарха. Сиханизо – первая дочка короля (всего королевских детей 23), и об увлечениях первой принцессы мы наверняка еще узнаем. Пока же Сиханизо прославилась одной бурной вечеринкой в доме королевы-матери (за что

получила в наказание удары палкой), критикой полигамии (у ее отца Мсвати III целых 14 жен) и своими первыми песнями в стиле рэп: принцесса записывает их под сценическим псевдонимом Passionfruit («Фрукт страсти») или – короче – Пашу.

Слева: Внучка британской королевы Зара Филипс, подобно принцессам прошлого, уверенно держится в седле. 2004 г.
Вверху: Лыжи стоят у шале. Правящая семья Монако на зимних каникулах в Швейцарии
(князь Ренье III, княгиня Грейс, принцесса Каролина и принц Альбер). 1963 г.

Красота

НА ПРИНЦЕССУ ОБРАЩЕНЫ ВЗГЛЯДЫ ВСЕГО КОРОЛЕВСТВА. НО НЕ КАЖДАЯ УМЕЕТ БЫТЬ ХОРОШЕНЬКОЙ КАЖДЫЙ ДЕНЬ. И КАК ТУТ БЫТЬ?

«Это что за летучая мышь!» – возмутился английский король Карл II, встретив будущую жену Екатерину Брагансскую. «Меня обманули! Она некрасивая!» – воскликнул французский король Генрих IV, впервые увидев свою невесту Марию Медичи. И все равно ведь женились – что тот, что другой. Промолчим, что и сами короли не всегда красавцы, и просто запомним: красота принцессы – всего лишь бонус, особенно в старину.

Из-за внешности принцесс не отвергают, даже если ты исключительный король – например английский многоженец Генрих VIII. Четвертую жену Анну Клевскую Генрих выбрал по портрету Ганса Гольбейна Младшего и по протекции первого министра Томаса Кромвеля. Переговоры, как положено, провели до первой встречи будущих супругов, и брачный договор так же заключили. А когда немка Анна прибыла на новое место жительства, в Англию, Генрих только выругался, обозвав ее «кобылой», но отступать было поздно, уж слишком пострадали бы английско-германские отношения. С другой стороны, четвертая жена – не первая, чего церемониться? Глядя на портреты Гольбейна, не скажешь об Анне ничего дурного – кто знает, какой была на самом деле? Но ей точно повезло: хотя развелись с Генрихом через полгода после свадьбы, отношения после развода сохранились неплохими, и Анна осталась при дворе. «Бывшая королева» как-то не звучало – ее стали звать «любимой сестрой короля», она получила приличные деньги и собственность. А вот свахе Томасу Кромвелю повезло меньше: враги подсуетились, он был обвинен в измене и ереси и обезглавлен, а голову не разобравшегося в красоте министра выставили на мосту на всеобщее обозрение.

Веками подданные видели принцесс редко, не то что сейчас, когда все они – героини светских хроник. Вот такой парадокс получился: когда значить для страны принцессы стали меньше, красота их стала цениться больше. И какая-нибудь Шарлотта Казираги (внучка Грейс Келли и принца Ренье) или кронпринцесса Мэри Датская уже несколько лет остаются в списках «самых красивых женщин». Еще бы: ведь советчики и стилисты к ним слетаются со всего мира! Карл Лагерфельд просто модельер Шарлотты, а креативный директор дома Гуччи шьет ей одежду для верховой езды. Австралийка Мэри Дональдсон до превращения в принцессу Датскую выглядела, признаться, попроще, чем сейчас, и весила побольше. А теперь про одежду и аксессуары

копенгагенская принцесса советуется с одной звездой (Аня Камилла Алайди – дизайнер ювелирных украшений), про макияж и прически – с другой (Серен Хедегор – живущий в Лос-Анджелесе стилист, основатель своей линии продуктов для кожи).

Но ведь были принцессы и королевы, что родились красивыми и блистали без подсказок! Были, и удивительно, что именно многим из первых красавиц не везло в личной жизни. Вспомним трех, которых объединяет лишь имя – Елизавета.

Красота, яркость, элегантность – и это все о Мэри. Кронпринцесса Мэри Датская и кронпринц Фредерик. 2011 г.

Императрица Австрии, королева Венгрии Елизавета, героиня XIX века, вышла замуж за Франца Иосифа I, который предпочел ее сестре, хотя Елизавета и была выше его на несколько сантиметров (172 см). При этом до конца жизни (до 60 лет) Елизавета весила не больше 50 кг, и диета у нее была не самой здоровой (сегодня это наверняка назвали бы «анорексией»): мясной сок полусырого бифштекса, бульон, сырые яйца. Иногда красавица срывалась и изумленные спутники становились свидетелями пиршеств (курица, салат, шампанское, торт), хотя талия императрицы оставалась прежней (50 см!). Строгие порядки при дворе Елизавету не устраивали, постоянной депрессии способствовала кончина двух детей – поэтому Елизавета долгие годы путешествовала без мужа по Европе. После 32-го дня рождения она запретила себя фотографировать, чтобы остаться в памяти потомков в наилучшем виде, но форму сохраняла всю жизнь: носила платья с тугой шнуровкой и спала без подушки с самыми фантастическими ночными масками на лице (давленой клубникой или сырой телятиной).

Русская императрица Елизавета (официально остававшаяся незамужней), жила на век раньше австрийской, была еще выше (182 см), гораздо полнее и оставила после себя, по преданию, 15 тысяч платьев, многие из которых не надела ни разу. Это тот случай, когда красавица не следует за модой, а ее создает – по крайней мере в своей стране. Смена нарядов как минимум дважды в день, маскарады с переменой мужских и женских платьев и вот такие императорские указы: «Дамам – обшла-

га, опушки и юбки зеленые, по борту тонкий позумент; кавалерам – обшлага маленькие, разрезные и воротники зеленые с выкладкой позумента около петель».

Английская Елизавета I («королева-девственница») тоже диктовала моду и не терпела непредвиденно дерзких фасонов придворных дам (могла оторвать рукава, а то и поколотить). Но в ряду прекрасных правитьльниц она оказалась не только из-за культа красоты при дворе, своей стати и макияжа (сегодня выглядящего, конечно, чересчур сильным). Елизавета первой в Европе стала носить ситец (из Индии его везли поначалу как редчайшую ткань), и именно она в 1566 году, когда в моду вошли платья с коротким рукавом, первой надела перчатки до локтя.

Любовь народа

КОРОЛЕВСКИЙ «РЕЙТИНГ» – ВЕЩЬ ПРОСТАЯ: УЖ ИЛИ ЛЮБЯТ, ИЛИ НЕ ЛЮБЯТ. ВРЕМЯ СТИРАЕТ ПОДРОБНОСТИ, И, НАПРИМЕР, АНГЛИЙСКАЯ ЕЛИЗАВЕТА I ЗАПОМНИЛАСЬ ЛЮБИМОЙ, А МАРИЯ I – СОВСЕМ НЕЛЮБИМОЙ, ПРИТОМ ЧТО БЫЛИ СЕСТРАМИ.

Англичанин Джон Стабс очень не хотел, чтоб та самая Елизавета I вышла замуж за француза: мол, религия другая, наши свободы пострадают и главное – народ не поймет. Не то чтобы свадьбу готовили, но ходили такие слухи, и Стабс написал ядовитый антисвадебный памфлет. В результате любимая всеми Елизавета замуж за католика не вышла, но памфлетисту отрубили руку – за «бунтарские писания». Так что, если и вам придется советовать принцессам или королевам по поводу народной любви – будьте осторожны, это дело тонкое.

А королеву Марию англичане невзлюбили уже за то, что за католика она таки вышла – получается, пострадала, выбрав «неправильного» супруга. Но еще хуже, если ты сама – «неправильная» супруга (часто иностранка).

Уроженка Австрии, став французской принцессой Марией-Антуанеттой, любви народа не снискала, прославилась скорее страстью к развлечениям. Ей даже приписывают фразу про своих подданных, мол, если у них нет хлеба, «тогда пусть едят пирожные!». С пирожными или без – но нелюбящий народ казнил Марию-Антуанетту на гильотине, впрочем, как и ее мужа.

А с чего начинается народная любовь? В том же 1793 году, когда народ расправился с Марией-Антуанеттой, принцесса Мекленбург-Стрелицкая Луиза приехала в Берлин на свою свадьбу с будущим королем Фридрихом Вильгельмом III и произвела прекрасное впечатление на местную публику. Как? На приветственной церемонии ей прочитала стихи маленькая девочка – принцесса в ответ взяла девчушку на руки и расцеловала. Рассказы

о непосредственности и открытости принцессы с годами множились, к ним добавился имидж идеальной матери (10 детей) и патриотки: после поражения Пруссии в войне с Наполеоном Луиза встретилась с победителем и, как рассказывали, очаровала его до такой степени, что услышала признание: «Еще полчаса рядом с ней – и я положу все королевство у ее ног!» Своей жене Наполеон описывал встречу с Луизой сдержаннее, но как бы то ни было, поверженная Пруссия осталась на карте Европы. В честь Луизы учредили специальный орден для женщин, ее именем в Гер-

Учебное катание. Принцесса Юлиана (держится за трость) в одном ряду с королевой Вильгельминой и подданными. 1917 г.

мании до сих пор названы многочисленные заведения – и даже в России есть мост имени королевы Луизы, пограничный, соединяющий Калининградскую область и Литву.

Все-таки принцесс любят не за красивые жесты, гламурность или красоту, а за «близость к народу», хотя понимают это везде по-своему. Голландская принцесса Юлиана, ставшая королевой в 1948-м, отдала детей в государственную школу, сама покупала продукты в супермаркете рядом с дворцом и конечно же ездила на велосипеде.

На свою серебряную свадьбу королева пожертвовала земли и значительные деньги на организацию детских центров в Нидерландах, а на 25-летие коронации передала деньги для помощи нуждающимся детям во всем мире. Причем скончалась 94-летняя Юлиана снова принцессой – она отказалась от трона в 1980-м году в пользу своей дочери Беатрикс. Теперь в Голландии есть канал имени Юлиа-

ны, на карибском острове Св. Мартина – аэропорт имени Юлианы и даже гора в бывшей колонии Суринаме тоже имени Юлианы.

> *Свой способ расположить к себе простолюдинов придумала бывшая журналистка телекомпании CNN Рим Брахими, когда в 2004 году выходила замуж за иорданского принца Али бин Хусейна. Молодожены, конечно, пригласили несколько сотен ближайших друзей, членов королевской семьи Иордании и звезд CNN, но заявили, что пышный праздник устраивать не будут. Деньги, предназначавшиеся для него, отдали тысяче беднейших иорданских семей.*

А греческая принцесса Теодора выбрала свой путь. Монархию ее отца, короля Константина II, греки отменили на специальном референдуме, и Теодора родилась уже в изгнании, в 1983 году. Девушка избрала карьеру актрисы и на выпускном спектакле в Университете Бостона выступала с монологом «Моя Одиссея», рассказав о своей первой поездке на родину в 20-летнем возрасте. Но главная задача – вернуться в Грецию звездой, и Теодора подалась в Голливуд. Первая роль ей досталась в долгоиграющем сериале «Дерзкие и красивые», где принцесса изображает секретаршу главного злодея.

Вверху: Народное чаепитие в городке Грейс под Лондоном в честь коронации Георга V и Елизаветы. 1937 г.
Справа: Наконец-то у британцев есть любимая принцесса. 2011 г.

Подруги

Принц ищет друзей сам, а вот принцессе подруги – фрейлины – положены по штатному расписанию. Другое дело, бывает ли дружба с принцессой настоящей?

Шотландская принцесса Мария Стюарт уже на шестой день после своего рождения стала королевой. Но Шотландию в таком возрасте ей не доверили (страной правили регенты), и до «королевского совершеннолетия» Мария, как кронпринцесса, не была озабочена управленческими проблемами. Пятилетнюю, ее отправили во Францию – на родине тогда было неспокойно – и решили отдать замуж за дофина, наследника французского престола. Отец Марии, король Яков V, умер, мама Мария де Гиз оставалась на хозяйстве, малолетнюю дочь за границу она отпустила с самыми надежными людьми. «Четыре Марии», четыре ровесницы маленькой королевы, дочки двух фрейлин, гувернантки и главы королевской стражи – Мария Ситон, Мария Битон, Мария Флеминг и Мария Ливингстон. Этот детский сад при французском дворе прижился, девочки-фрейлины и Мария Стюарт и вправду были подругами.

Про них не раз говорили, что фрейлины не уступали королеве в озорстве. И уж точно не играли в поддавки – на память потомкам осталось ожерелье, которое юная королева подарила фрейлине Ситон, когда та выиграла у нее в гольф. В 17 лет Мария Стюарт овдовела и вернулась в Шотландию, где неожиданно столкнулась с безумной любовью – французский поэт Шастеляр приехал за ней в Шотландию и буквально стал Марию преследовать. Однажды фрейлины обнаружили его под королевской кроватью! Это и сегодня выглядит скандалом, а в середине XVI века было неслыханным оскорблением Ее Величества. Потрясенную подругу-монарха как могла утешала Мария Флеминг, но безумный поэт вскоре вновь в надежде спрятался под высочайшим ложем. Тут уж королева проявила характер в духе времени, и молодого человека казнили.

Фрейлине Марии Битон предлагал выгодный брак английский посол и просил только пошпионить за королевой – подруга отвергла и предательство, и удачную партию. Но настоящие испытания для фрейлин и королевы были впереди. Мария Стюарт вышла замуж второй раз и неудачно. Вероятно, она организовала убийство своего мужа, сыграла третью свадьбу – и притом оставалась католичкой в Шотландии, где все больше распространялось протестантство. Стюарт не просто потеряла любовь подданных, ее стали ненавидеть, вскоре свергли и посадили в тюрьму на острове Лохлевен. Вот где пригодились фрейлины! Мария Ситон отправилась в тюрьму вместе

с королевой-неудачницей – и даже пыталась помочь той бежать. Ситон была примерно одинакового роста со Стюарт, и, по легенде, королева сбежала из тюрьмы, переодевшись прачкой, а Ситон, надев королевское платье, долго изображала заточенного монарха, чтоб охрана не догадалась. В тот раз побег не удался, но Стюарт все же вырвалась с Лохлевена – хотя ей и пришлось там под угрозой смерти отречься от шотландского престола.

Марии Ситон, конечно, повезло: она не особо пострадала за помощь в организации побега. А у принцессы де Ламбаль, преданной своей королеве Марии-Антуанетте, все сложилось трагичнее. Во время Великой французской революции королеву арестовали, и подруга, уже уехавшая из Парижа, специально вернулась в столицу к ней. Де Ламбаль схватили, потребовали подтвердить, что она

Пьер де Шастеляр поет Марии Стюарт о любви. Гравюра Э. Дункана

помогла своей подруге, Великой княгине Екатерине Алексеевне. Они сблизились на почве литературы, но спустя время появились у них и общие государственные интересы: непопулярный муж Великой княгини, император Петр III, собрался отправить жену обратно в Германию и жениться как раз на сестре Дашковой, Елизавете Воронцовой, – и Дашкова подключилась к заговорщикам, решившим возвести Екатерину на российский престол. Переворот удался, Екатерина стала императрицей и, принимая присягу, надела Андреевскую ленту, а Екатерининскую сняла и передала Дашковой. Вскоре же заметила, что та надела ленту на себя, рассмеялась и сказала: «Поздравляю!» «И я вас поздравляю», – не смутилась Дашкова.

Свою сестру Елизавету, поначалу арестованную вместе с Петром III, Дашкова спасла – но ее роль в «екатерининской эпохе» на этом не закончилась. Отношения подруг складывались по-разному, Дашкова надолго уезжала за границу, а потом вернулась и по приглашению императрицы стала первой в мире женщиной-директором Академии наук. Среди фигур «екатерининских орлов» на петербургском памятнике Екатерине II Дашкова – единственная «орлица».

ненавидит королеву – а принцесса ведь приехала, чтобы сказать обратное! Ее обезглавили и голову принесли Марии-Антуанетте – говорят, это был редкий случай, когда королева лишилась чувств.

Отдельный случай – помощь не при потере короны, а, наоборот, при восшествии на престол. Так княгиня Екатерина Дашкова

Секс по-монаршьи

Когда речь заходит о королевском сексе, результат важнее процесса. Не зря в историю вошел возглас английского короля Карла II, напутствовавшего Вильгельма Оранского на свадьбе с Марией Йоркской – король, не стесняясь, кричал: «За работу, племянник!»

Мало в чем похожи две звезды европейских монархий XVIII века – Мария-Антуанетта во Франции и Екатерина II в России, но и той и другой достались нерешительные мужья. Дело даже не в том, что французский плебс в какой-то момент стал напевать песенку вроде того, что «Может наш король? Или король не может?». Просто, когда годы идут, а нет ни потомства, ни даже консуммации, нервничает не только королевская родня.

Консуммацией называли первый секс новобрачных – такое физическое подтверждение брачного союза. Марию-Антуанетту и Екатерину годами обвиняли в том, что они, мол, не стараются, вот мужьям в постели и неинтересно. Но проблемы были скорее медицинского свойства. О королевских недостатках говорить тогда было не принято, теперь случившееся объясняют фимозом, который и Людовику XVI, и Петру III в конце концов исправили обрезанием. Супружеским чув-

ствам в обоих случаях это не помогло, но забеременели жены незамедлительно.

Аж до середины XVIII века при французском дворе было в порядке вещей освидетельствовать первый королевский секс. В 1533 году Екатерина Медичи и будущий король Франции Генрих де Валуа, например, провели ночь в постели под взором официальных наблюдателей. Новобрачным было по 14 лет и о наследнике речь пока не шла, но важно было довести дело до конца.

Принц Уэльский Артур, женившись на испанской инфанте Екатерине Арагонской, наутро хвастался слуге, что провел всю ночь в Испании. Но через несколько месяцев Артур умер, а Екатерина заявила, что у них ничего не было и она по-прежнему девственница. И кому верить? Разразился международный скандал, Екатерина поклялась в суде – и ей поверили. В результате принцессу взял в жены младший брат усопшего, король Генрих VIII.

Брак без секса, получалось, и не брак. А секс без брака? Разве поручишься за дев-

Вверху: На карикатуре Гилрея «Сон влюбленного» (1795 г.) принц Уэльский видит во сне суженую Каролину Брауншвейгскую, оплату отцом долгов и убегающих друзей и любовниц
Внизу: Недвуспальная кровать. Будуар французской императрицы Марии-Антуанетты (фото конца XIX в.)

ственность всех принцесс? По крайней мере, разведенных в королевские семьи не принимали. Из-за брака с разведенкой в начале XX века не мог жить на родине брат русского царя, Великий князь Павел Александрович; а в 1939 году из-за такого же брака отрекся от престола и уехал из Англии тамошний король Эдуард VIII. То ли дело конец XX века: на разведенных женщинах женаты наследник британского, испанского, норвежского престолов.

Правила традиционных королевских свадеб все же предполагали, что невеста – девственница. Она раньше покидала праздник (ей раздеваться дольше), а потом к ней направлялся и жених. В Австрии жениха приводила в спальню мать, во Франции церемонию начинал священник (окропляя ложе святой водой). Одним новобрачным под дверью спальни распевали до утра подбадривающие песни, у других – утром забирали на проверку простыни. Неизменным было одно: от коро-

левской пары ждали главного результата – наследника, а дела сердечные всегда можно вести и на стороне.

Отдельная церемония – заочный брак (или брак по доверенности), когда один из новобрачных не успевал прибыть на церемонию, а заключать союз надо было срочно (обычно по политическим причинам). В 1514 году так венчались в Лондоне французский король Людовик XII и местная Мария Тюдор. Точнее, из новобрачных была только Мария, а короля представлял французский посол, который после празднеств последовал за ней в спальню. Невеста легла на кровать, не раздеваясь и не снимая драгоценностей, а посол прилег рядом, лишь спустив один из чулок. Прикосновение голой ногой пусть и к одетой ноге принцессы Марии в другой ситуации стоило бы послу жизни, но тут он олицетворял собой короля-жениха, и жест послужил подтверждением консуммации.

Другой же французский монарх – Наполеон – брачную ночь провел где надо и с кем надо, но пострадал: его укусил мопс невесты Жозефины Богарне, давно привыкший спать с хозяйкой в одной постели. По официальной версии, Наполеон был укушен за ногу. Как там было на самом деле – спросить не у кого, но дети у этой королевской пары так и не родились.

Что едят принцессы

Вкусы у них, конечно, разные.
Принцесса Йоркская Евгения любит
хот-доги, российская Анна Иоанновна
предпочитала буженину,
а Анна Австрийская – шоколад.
Вопрос в том, с кого брать пример?

Сегодняшние любители пищи, богатой протеинами, могут и не подозревать о том, что принцессы выбрали такую диету уже в X веке. Например, дочка короля Эдварда Старшего Эдит Английская ела много рыбы. Недавно ученые исследовали саркофаг с ее именем (мало ли кто там мог оказаться за десять веков!), но анализ костей и зубов подтвердил: это она. Девушка пила минералку из источников в Южной Англии, питалась дорогими продуктами (рыбой) и много скакала на лошади.

Принцесса София Ангальт-Цербстская любила говядину с квашеной капустой, а английская принцесса Виктория – вареную курицу (первая стала российской императрицей Екатериной II, вторая – английской королевой). Но принцессы ведь часто уезжали жить в другую страну – и для новых подданных их вкусы и привычки за столом иногда становились открытием.

Например, чаепитие, любимое сегодняшней английской королевой, пришло в Англию благодаря португальской принцессе Екатерине Браганской. Рассказывают, что сразу по прибытии (для бракосочетания с Карлом II) принцесса попросила чаю, но у англичан чаю не было, невесте дали эля. Привыкать на новом месте ей пришлось ко многому (выучи-

ла английский, приспособилась к тамошней моде) – но пиво вместо чая? Нет, тут она португальской привычке не изменила. Понемногу при дворе ей стали подражать, и наконец, через семь лет после королевской свадьбы, начались «прямые поставки от производителя»: Ост-Индская компания, привозившая товары из колоний, получила в Англии монополию на торговлю чаем.

Еще один «след принцессы» – вилка. Обыкновенная вилка, которой сегодня пользуется каждый. По преданию, одну из первых вилок в Европу привезла в XI веке византийская принцесса Теодора, выйдя замуж за венецианского дожа Доменико Сельво.

Английский чай в Судане. Принцесса Анна на чаепитии для дам. 1973 г.

Поначалу девушку даже не поняли, мол, Господь же дал нам две естественные вилки – наши руки – и пользоваться искусственными металлическими – значит Его оскорблять. На Апеннинах привыкали к диковинке очень медленно, но затем и сами стали реэкспортировать новый прибор.

Итальянка Екатерина Медичи, выходя замуж за будущего короля Генриха II, познакомила с вилкой французский двор. На той же свадьбе состоялась и премьера мороженого, до того незнакомого французскому высшему свету. Приданым у Медичи были города Пиза, Ливорно, Модена, Парма, позже политическая ситуация поменялась, и территории эти французам так и не достались, а вот мороженое с вилкой прижились.

«Наша принцесса ничего не ест» – с Медичи такой неприятности не случалось, но произошло с принцессой из рода Бернадоттов, сегодняшней наследницей шведского престола. Сколько двор ни пытался скрыть неприятную новость – ужасная худоба принцессы была видна всем.

Заболела анорексией Виктория, похоже, на учебе как раз во Франции, а вернувшись домой, выяснила, что от глаз подданных и папарацци не спрячешься. Дела шли все хуже, и ей даже пришлось поменять планы: вместо учебы в шведском университете она выбрала американский Йель и уехала от любопытных глаз подальше. Американцы Викторию вылечили, да и год жизни инкогнито за границей пошел на пользу – к встрече с суженым кронпринцесса выглядела, как и положено девушке на выданье (подробнее см. «Виктория, кронпринцесса Швеции»).

Обжоры среди принцесс тоже встречаются, и самая заметная – Сара, герцогиня Йоркская. Девушка из простой семьи Фергюсонов вышла замуж за принца Эндрю, сына нынешней английской королевы, в 1986 году. За 5 лет брака Сара растолстела до 100 килограммов и недобрая английская пресса прозвала Герцогиню Йоркскую Герцогиней Поркской (англ.: pork – свинина). То ли из-за обжорства супруги, то ли еще из-за чего Эндрю и Сара вскоре стали жить порознь, а потом и вовсе развелись. Но герцогиня-разведенка оказалась предприимчивой: мало того что похудела, так еще запустила в Великобритании телепрограмму о диетах и стала представительницей организации «Weight Watchers International», помогающей избавиться от лишнего веса.

Вверху: Перепелиные яйца неизменно подают на королевских приемах в Букингемском дворце. 2011 г.
Справа: Рождественский подарок. Нидерландская королева Юлиана (справа)
и принцесса Беатрикс (слева) разливают какао дворцовой прислуге

Тени
королевских покоев

«И КАЖДЫЙ БРАК ИХ БУДЕТ НЕСЧАСТНЫМ» –
ЭТО ПРОКЛЯТИЕ СЕМЬЕ ГРИМАЛЬДИ, ПРАВЯЩЕЙ
В МОНАКО, ПОМНЯТ С XIII ВЕКА, КОГДА,
ПО ПРЕДАНИЮ, ЕГО ИЗРЕКЛА НЕКАЯ КОЛДУНЬЯ.
ПО ПРАВДЕ СКАЗАТЬ, ТАКОЕ ПРОКЛЯТИЕ ТЯГОТЕЕТ
ПОЧТИ НАД ВСЕМИ МОНАРШИМИ ДИНАСТИЯМИ.
ТАК УЖ ЗАВЕДЕНО: КОРОЛЕВСКИЙ БРАК –
ЭТО РАБОТА, А ДЛЯ ЛЮБВИ ЕСТЬ ЛЮБОВНИЦЫ.

Именно любовницы, а не любовники – мужу заводить романы можно, а вот жене нет (так ведь и у подданных долго было). Если уж повезет кому из жен на примерного короля-семьянина – об этом помнят столетиями. Так получилось у датской принцессы Дагмар, вышедшей замуж за будущего российского царя Александра III: у них было шестеро детей и ни одного адюльтера.

Возлюбленным английского короля Генриха VIII повезло меньше. Монарху был нужен принц-наследник, но с тогдашним уровнем детской смертности вырастить сына никак не получалось. За 23 года брака с Екате-

риной Арагонской родилось трое мальчиков и две девочки, выжила только дочь – и Генрих брак аннулировал, жену прогнал. Во втором браке – опять дочь, королеву Анну Болейн объявили ведьмой и обезглавили. Ребенок от третьей жены наконец-то мальчик, но мать, Джейн Сеймур, умирает вскоре после родов, и Генрих женится вновь – по старым королевским правилам, наследников должно быть двое, «основной и запасной» («an heir and a spare»). Четвертая жена Генриху просто не понравилась и получила развод, пятая показалась неверной и была казнена, шестая родить так и не успела – умер сам король. По иронии судьбы долгим и стабильным правлением в историю вошла как раз дочь Генриха VIII, королева Елизавета I.

Жившая в XII веке Алиенора Аквитанская устроила дела совсем по-другому. 15 лет она была королевой Франции (замужем за Людовиком VII), участвовала в управлении государством и даже ходила с королем во Второй крестовый поход ко Гробу Господню. Но в 1152 году королева вдруг вспомнила, что они с Людовиком дальние родственники, и подала на развод, захватив обратно свое приданое – аквитанские земли. В том же году она вышла замуж за Генриха Анжуйского, который вскоре стал королем Англии. 35 лет Алиенора была английской королевой, но и тут не отдыхала: перешла на сторону своего сына, восставшего против отца, отсидела 16 лет в тюрьме и еще 17 лет прожила в бенедиктинском аббатстве во Франции.

Королевские перипетии не помешали этой выдающейся женщине родить десятерых детей, которые разъехались по всему континенту.

Дочь французского короля Екатерина Валуа родила сына английскому монарху Генриху V, но король вскоре умер, и королева осталась с младенцем на руках. Ребенка у нее отобрали, а личную жизнь так и не разрешили – вместо умершего мужа за благопристойностью королевы-матери следил парламент. Екатерина полюбила мужчину совсем не королевских кровей, валлийца Оуэна Тюдора, она вышла за него замуж, родила шестерых детей и долго скрывала свой роман. Разоблаченная в 1436 году, королева с позором удалилась в Бермондсейское аббатство и вскоре умерла там при родах. Самое обидное, что ее любовь «на стороне» раскрылась всего за год до совершеннолетия ее сына-короля, который вряд ли бы наказывал свою мать так строго.

Венчаться с одной женщиной по расчету на глазах у другой, любимой, – так получилось у сына английского короля, принца

А что же правящая династия Монако? Урожден-
ных принцесс сейчас двое, и их истории одна другой
печальнее. Старшая, Каролина, с первым мужем
развелась через два года после свадьбы, второй
разбился в автокатастрофе, а с третьим она
живет раздельно. Каролина воюет с папарацци,
подробно освещающими ее неудачную личную
жизнь, и даже судилась в Европейском суде по пра-
вам человека, но проиграла.

Джона Гонта, герцога Ланкастерского. От
первой жены у него росли трое детей, и с их
воспитательницей Екатериной Суинфорд
Джон Гонт стал близок вскоре после смерти
жены. Дела при этом шли своим чередом: он
выбрал себе вторую супругу, кастильскую
принцессу Констанцию. Дети от Констанции и от Екатерины рождались почти одновременно, и единственное неудобство было
в том, что от Екатерины они были незакон-
норожденными, а значит, и права у них были
совсем другие. Судьба их пожалела: после
смерти Констанции Джон женился на своей
давней возлюбленной, и все их четверо детей
были признаны официально.

У младшей урожденной принцессы Монако, Стефании, первый брак распался, когда ее
мужа, бывшего телохранителя Даниэля Дю-
круэ, поймали на измене журналисты. Поначалу он отпирался, но вслед за фотографиями
публике представили и скандальное видео —
в общем, Даниэль получил развод. К двоим
детям Стефании от первого брака добавился
третий, чьего отца принцесса даже не стала
регистрировать. На этом ее злоключения не
закончились: она влюбилась в дрессировщика
слонов, с тремя детьми путешествовала в цир-
ковом караване, но в результате вышла замуж
за акробата из того же цирка, а через год развелась. Может, хоть у правящего князя Монако все сложится удачно? Он все-таки недавно
женился, а вот его сестры, Каролина и Стефания, продолжают искать своих принцев.

Глава

2

· · · · · · · · · · · · ·

Все, что
нужно знать
о свадьбе
по-королевски

· · · · · · · · · · · ·

Традиции и тонкости

СВАДЬБА ПОЛНА ЦЕРЕМОНИЙ И ОБРЯДОВ, НО ПРИНЦЕССЫ И КОРОЛИ ОЧЕНЬ ЛЮБЯТ ПРАВИЛА НАРУШАТЬ – ТАК ОНИ И ВХОДЯТ В ИСТОРИЮ.

Руку и сердце короли веками предлагали через специальных посланников, ведь дело государственной важности нельзя устроить без переговоров! Но, когда герцог Нормандии Вильгельм в XI веке сделал предложение дочери французского короля Матильде Фландрской, та велела передать, что не будет иметь дело с бастардом (претендента и вправду прозвали Незаконнорожденным). Что же делает Вильгельм? Оправдывая другое свое прозвище (Завоеватель), он скачет к Матильде сам, таскает ее за волосы и даже консуммирует еще не состоявшийся брак. Такая королевская напористость обычаем все же не стала, но самое главное, что Вильгельм и Матильда долго и счастливо жили вместе.

Русскому царю Петру I первую жену – Евдокию Лопухину – мать выбрала из приличной семьи и договорилась с ее родителями, как положено, молодых ни о чем и не спрашивая. Свадьбу сыграли по древним канонам допетровской Руси. Но жил с Евдокией царь-реформатор недолго, вскоре отправил ее в монастырь и нашел себе девушку, никак не подходившую на роль царицы – дочь крестьянина, уже бывшую замужем прачку Марту Скавронскую. Избранницу царя назвали Екатериной, в гражданском браке она родила Петру двух дочек, и в 1712 году на церемонии венчания в деревянной Исаакиевской церкви девочки семенили, держась за мамину юбку. Начиная с Екатерины I почти до конца века Россией правили женщины – вот какую традицию заложил Петр, «выбрав сердцем».

Английский король Генрих VIII не получил благословения Папы Римского на развод с Екатериной Арагонской и новый брак с Анной Болейн, но это его не остановило. Монарх просто расстался с католической верой. Он сам стал главой своей англиканской церкви – с тех пор оглядываться на Рим в Лондоне перестали. Более того, члены королевской семьи три столетия не имели права

На предыдущем развороте: Все готово к свадьбе будущего короля. Лондон, 2011 г.
Вверху: На свадьбе наследника Люксембургского престола и графини Стефании де Ланнуа церемониал был нестрогий. 2012 г.

сочетаться браком с католиками, и комитет британского парламента даже признал такой запрет нарушением Конвенции о правах человека. Монаршья фамилия была угнетаемым меньшинством! Только при Елизавете II, в 2011 году, они добились равноправия – теперь вера супруга не имеет значения, хотя сам английский монарх (беря пример с Генриха III) все-таки должен быть в лоне англиканской церкви.

Торжественную, даже интимную традицию вечерних, а то и ночных венчаний в Англии нарушила королева Виктория. 10 февраля 1840 года она венчалась днем, чтобы праздник мог продолжаться до вечера, и с тех пор это стало обязательным правилом. Предложение обычно делает жених, но принц не мог обратиться с этим к королеве (этикет не позволял), и влюбленной Виктории пришлось самой делать предложение принцу Альберту. Советники предлагали ей пойти дальше, мол, как монарх может обещать повиноваться своему мужу-консорту? Но Виктория на церемонии сказала это прилюдно, ведь так делают все! Первой от подчинения отказалась только в 1981 году Диана Спенсер, она не стала произносить такую клятву, выходя замуж за принца Уэльского. Вот и новая традиция – в 2011 году ей последовала Кейт Миддлтон.

В истории королевства Марокко главным нарушителем традиций стала нынешняя принцесса Лалла Сальма. Во-первых, ее назвали принцессой (раньше у жен короля никакого статуса не было). Во-вторых, подданные узнали ее имя и даже увидели королевскую возлюбленную (тоже впервые). И наконец, у короля

она – одна, он пообещал больше не жениться. Стоит ли говорить, что королевская свадьба Сальмы Беннани и Мухаммеда VI в Марокко – самая первая, о которой объявили заранее и которую в 2002 году праздновала вся страна?

Жители Уганды в 1999 году радовались своей королевской свадьбе. На большей части страны находится королевство с похожим названием – Буганда. С прошлых королевских празднеств прошло полстолетия, страна пережила диктатуру, смещение короля и приглашение его сына обратно. Царствующий, но не правящий Рональд Мувенда Мутеби II и Сильвия Наггинда проводили торжественную церемонию в кафедральном соборе Святого Павла в столице страны Кампале. У простых угандийцев в честь долгожданной свадьбы был выходной. Белоснежное платье и фата невесты, ожерелье и высокая тиара выглядели вполне традиционно, как и одеяние жениха – халат и огромная корона-колпак. Пять миллионов жителей Буганды помнили о местном обычае: многовековой запрет гласил, что в первую ночь после королевской свадьбы сексом может заниматься только король со своей невестой-королевой, а подданные-нарушители будут атакованы злой овцой и навсегда потеряют мужскую силу. Рональд Мувенда Мутеби оставил этот запрет в прошлом. Так в ночь на 28 августа 1999 года в королевстве Буганда родилась новая традиция, которую наверняка с радостью будут продолжать.

Конный парад на свадьбе марокканского короля Мухаммеда VI и Сальмы Беннани. 2002 г.

Место и время

СЫГРАТЬ КОРОЛЕВСКУЮ СВАДЬБУ – ЭТО ЧАЩЕ ВСЕГО ВЫЙТИ ЗАМУЖ ЗА ИНОСТРАНЦА. НА ЧЬЕЙ ТЕРРИТОРИИ И В КАКОЙ МОМЕНТ ВЕНЧАТЬСЯ – ВОПРОС, КОТОРЫЙ РЕШАЮТ МОНАРХИ, ДИПЛОМАТЫ, СВЯЩЕННИКИ И АСТРОЛОГИ.

Когда жених и невеста из разных городов, первым делом надо решить: где гулять будем? Английская принцесса Виктория собиралась замуж за прусского принца Фридриха Вильгельма, и из Пруссии Лондону намекнули, мол, празднуем у нас – наш жених все-таки. Возмущенная мама невесты, Виктория-старшая, воскликнула: «Как бы ни было заведено у прусских принцев, не каждый день они женятся на старшей дочери английской королевы!» Свадьбу в январе 1858-го принцесса Виктория сыграла-таки в Лондоне, а ее мать-королева уверенно переженила свое потомство с правящими домами всего континента и получила прозвище «бабушка Европы».

Принцессе Екатерине Арагонской предложил руку и сердце жених с британских островов, принц Уэльский Артур, но идея принадлежала его отцу, Генриху VII. Он получил трон не по наследству и не каким-нибудь

дворцовым переворотом, а победил в гражданской войне. Но для британской знати эти Тюдоры – выскочки, что в них королевского? И вот тут место венчания наследника помогло как никогда.

Прошлые королевские свадьбы играли в Вестминстерском аббатстве? А мы возьмем что повыше! И новый король выбирает собор Святого Павла, самую высокую церковь города (и одну из самых высоких в мире). Свадьба на новом месте! Тюдоры породнятся с испанцами! Половина всех жителей Лондона, 20 тысяч человек, собрались поглазеть на торжества. В нынешнем соборе в XX веке под взглядами всего мира венчались Диана с Чарльзом, но в начале XVI века, без телевидения, как всем показать невесту с женихом? Тем более что и постройка была другая, еще выше и длиннее сегодняшней. У собора длиной почти 180 м поставили еще длиннее помост – по нему на глазах всей столицы

прошли 15-летние молодожены. И внутри устроили «сцену» высотой почти в полтора метра, чтоб собравшиеся «випы» тоже разглядели тогдашнюю «свадьбу века».

Иногда место важно буквально до шага. Например, с одной стороны двери – никак нельзя, а с другой – пожалуйста. Это о свадьбе французской принцессы Генриетты-Марии и английского короля Карла I. Невеста была католичкой, а жених – протестантом, венчаться в собор Парижской Богоматери его не пускали. Но не жить же в гражданском браке! У королей в XVII веке так было не принято. 1 мая 1625 года церемонию организовали прямо у дверей Нотр-Дама. С западной стороны у собора поставили покрытый тканью дере-

Справа: Будущая «бабушка Европы» на руках у мамы, герцогини Кентской. Картина У. Бичи

вянный настил, над ним – высокий золотой навес. Помост в центре обили пурпурным бархатом, вышитым золотыми лилиями, эмблемой французской королевской власти. Карл I боялся, что парламент запретит ему жениться на католичке, и так спешил, что даже ехать в Париж не стал: церемонию провели без него (монарха представлял герцог де Шеврез), но если не знать о страстях, сопровождавших эту свадьбу, выглядело все необычно и свежо: торжественная уличная церемония в весеннем Париже.

Это очень по-королевски: есть время – долго выбирают дату и обдумывают последнюю вышивку, нет времени – совсем

не церемонятся. В 1817 году при первых родах скончалась принцесса Уэльская Шарлотта, оставив английский трон без наследника. Правящая фамилия за четыре месяца 1818 года сыграла сразу четыре (!) королевские свадьбы, причем две – в один и тот же день. Никто даже не делал вида, что жених и невеста влюблены. В церковь и не ездили. В маленьком дворце Кью, где жила королева, мать обоих женихов, в гостиной организовали алтарь, пригласили архиепископа Кентерберийского и ближайших родственников, перевели молитвы на немецкий (язык обеих невест) и расправились с делом меньше чем за час. Страховка сработала: женившиеся на

Парад с сундуками на свадьбе марокканского короля Мухаммеда VI и Сальмы Беннани. 2002 г.

скорую руку принцесса Саксен-Кобург-Заальфельдская и герцог Кентский подарили стране принцессу Викторию – да-да, ту самую, что станет «бабушкой Европы» и чьим именем назовут Викторианскую эпоху.

Именем короля Джигме Кхесара Намгьяла Вангчука, возможно, назовут нынешнюю эпоху в истории королевства Бутан: монарх сам проводит демократические реформы, а с 1999 года в стране разрешили телевидение. Когда Вангчук женился на своей 21-летней подданной Джетсун Пеме, королевство увидело первую телесвадьбу в истории страны! Ее транслировали из монастыря крепости XVII века в древней столице Бутана Пуна-

хе. Место свадьбы и даже время (8.20 утра 13 октября 2011 года) определили астрологи. «Ваше Величество, ну и как это – быть женатым?» – спросила его гостья на свадьбе. «А вы замужем?» – поинтересовался король. «Нет». – «Это отлично. Попробуйте сами». Только королевских шансов у девушки никаких: прошлый король Бутана имел четырех жен, а нынешний, сыграв свадьбу, объявил, что жена у него будет одна.

Королевские гости

КОМУ ЖЕ НЕ ХОЧЕТСЯ ПОГУЛЯТЬ
НА КОРОЛЕВСКОЙ СВАДЬБЕ – ЕСЛИ
НЕ ГЕРОЕМ ТОРЖЕСТВА, ТО ХОТЯ БЫ ГОСТЕМ.
ПРИГЛАШЕНИЯ ДЛЯ ЭТОГО НУЖНЫ НЕ ВСЕГДА.

Прийти поглазеть на монарших особ за едой мог практически любой француз в XVIII веке – достаточно было прилично одеться. Звучит невероятно – как же безопасность, неприступность, прайвеси, в конце концов? – но Версальский дворец действительно был тогда общедоступным местом. Знать садилась на полукругом расставленные стулья, народ попроще стоял, и все разглядывали едящих монархов в упор. А что делать, если это не просто ужин, а свадебные торжества? Когда женились будущий король Людовик XVI и Мария-Антуанетта, желающих посмотреть на них было столько, что устроили лотерею – и за свадебным обедом 16 мая 1770 года наблюдали шесть тысяч счастливчиков.

В XX веке трапезничающих невест и женихов, а вместе с ними и гостей на королевской свадьбе, наоборот, оберегают от посторонних глаз. Придворный этикет не предполагает никаких камер, и даже сегодня, когда так легко снимать на мобильные телефоны, гости королевских дворцов стараются следовать этому правилу. Другое дело – выход молодоженов на люди. Тут уж и теле-, и фотокамеры, и крики: «Поцелуйтесь!» 23 июля 1986 года принц Эндрю, младший сын королевы Елизаветы II, и его невеста Сара Фергюсон, выйдя на балкон Букингемского дворца, даже дразнили собравшихся на площади. Вначале жених и невеста беззаботно машут зрителям, потом прикладывают руки к ушам, словно прислушиваясь к крикам. Сара даже кричит народу: «Что?» Наконец, словно догадавшись, под рев площади они поцеловались.

Одним из гостей той свадьбы был четырехлетний принц Уильям, и для публики он стал чуть ли не главным героем: фотографы с удовольствием снимали, как принц прямо в Вестминстерском аббатстве, сидя на видном месте, в красном кресле с золотыми ножками, заигрывает со своей шестилетней кузиной Лаурой Феллоуз. Маленьким гостям торжественных церемоний прощают и не такое.

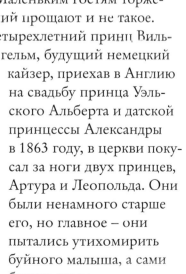

Четырехлетний принц Вильгельм, будущий немецкий кайзер, приехав в Англию на свадьбу принца Уэльского Альберта и датской принцессы Александры в 1863 году, в церкви покусал за ноги двух принцев, Артура и Леопольда. Они были ненамного старше его, но главное – они пытались утихомирить буйного малыша, а сами были в килтах.

После свадьбы Великого князя Московского Дмитрия I (позже прозванного Донским) и суздальской княжны Евдокии в 1366 году новобрачные долго гадали, кто из гостей украл подарок отца невесты – пояс, расшитый золотом, с цепями и драгоценными камнями. Гости разъехались, осадок остался, а через 67 лет в Москве играли свадьбу внука Дмитрия Донского, Великого князя Василия II и княжны Марии Ярославны. И вот в разгар свадебных торжеств один из немолодых гостей замечает на другом госте ту самую, давно пропавшую драгоценность! Мать жениха, Софья Витовтовна немедля при всех срывает с гостя пояс, украденный его предком – не гостем даже, а распорядителем на свадьбе Дмитрия Донского. Снимать ремень с мужчины и сегодня неслыханно, а тогда это было настоящим оскорблением, и униженный гость – князь звенигородский Василий – немедленно покинул праздник. Потом он пошел на Москву с войском, и великокняжеский трон не раз переходил от одного владельца пояса к другому, от московского Василия к звенигородскому и обратно. Причем через три года после свадебного скандала в плену ослепили звенигородского Василия (и его прозвали Косым), а еще через десять лет ослепили московского Василия (и его прозвали Темным) – то есть к концу жизни ни тот ни другой князь драгоценный пояс даже видеть не могли.

Сегодня никакого срывания пояса не случится хотя бы потому, что такой пояс с драгоценностями гостю на свадьбе надеть не разрешат. Протокол тут строгий. Скажем, приглашение на свадьбу принца Уильяма и Кейт Миддлтон содержало строгое предпи-

Под взором истории. Гости на свадьбе принца Уильяма и Кейт Миддлтон. 2011 г.

сание именно для гостей-мужчин: «унифор-
ма, визитка или пиджачный костюм». Форму
могут надеть только находящиеся на дей-
ствительной военной службе и с разрешения
командования, и тут уж от традиций подраз-
деления зависит, например, надевать шпагу
или нет. Если визитка – то обязательно с брю-
ками в полоску, жилеткой серого или желтого оттенка (и такого же цвета перчатками)
и непременно с цилиндром, который нужно
снимать в помещении и для официальных
фото. Женский гардероб регламентируется не
так строго: дневное платье и сумочка в тон,
высокий каблук, желательны шляпка и перчатки. Разумеется, гостям нельзя приходить
на свадьбу в белом или черном, мини-юбках
или с голыми плечами, да и короткий рукав не
приветствуется.

Главная опасность для гостей на таких
свадьбах – правила общения. Реверансы
сейчас рекомендуют неглубокие, а мужчи-
не достаточно чуть кивнуть, опустив вниз
и глаза. Это правило действует и при встрече с членом королевской семьи, и когда
он покидает помещение. Прикосновение
может быть только при рукопожатии – никаких объятий или похлопываний по спине.
Актриса Софи Винкльман, идя на свадьбу
Уильяма и Кейт, больше всего боялась, что не
разберется, кто есть кто среди гостей. Но ее
муж, двоюродный племянник королевы лорд
Фредерик Виндзор, отозвался на эти страхи
советом, который подойдет любому гостю
на королевской свадьбе: «Не волнуйся, это
часто бывает. Многие из них нас тоже не зна-
ют, и ничего».

Вверху: Музыкант Элтон Джон (справа) с гражданским партнером Дэвидом Фернишем – гости королевской свадьбы в Лондоне. 2011 г.
В центре: Юный принц Уильям (крайний справа) на свадьбе дяди, принца Эндрю. 1986 г. *Внизу:* Датская королева Маргрете II
с супругом принцем Хенриком на свадьбе соседей, шведской кронпринцессы Виктории и Даниэля Вестлинга. 2010 г.

Сколько стоит

Сколько стоят свадьбы настоящих принцесс и принцев? Королевские семьи об этом молчат, остается только гадать. Что все и делают.

Свадьба принцессы Маргариты Датской и шотландского короля Якова III обошлась отцу невесты намного дороже, чем тот предполагал. В 1468 году Кристиан I уговорился с шотландцами так: приданое принцессы вообще-то 60 тысяч рейнских гульденов (популярной тогда международной валюты), но наличными пока только 2 тысячи. Хотя Кристиан и был одновременно королем Дании, Швеции и Норвегии, денег ему не хватало, на выплату остатка приданого он попросил отсрочку и отдал в залог два архипелага, Оркнейские и Шетландские острова. Денег тесть найти так и не смог, и в 1472 году все острова отошли жениху (теперь они – часть Великобритании).

Никак не вычислить и цену свадьбы Великой княгини Марии Павловны, а ведь это была, пожалуй, последняя свадьба настоящей принцессы в России. С представителем древнего аристократического рода Сергеем Путятиным они венчались в Павловском дворце под Петербургом, затем был праздничный ужин во дворце отца невесты Великого князя Павла Александровича – все с привычным

для династии Романовых шиком. Вот только свадьбу играли в сентябре 1917 года, незадолго до Октябрьской революции, после которой и цены, и ценности изменились. Собственность и сбережения всех членов богатейшей семьи империи вскоре национализировали, и невеста со свекровью радовались, что сразу после свадьбы спасли хоть часть драгоценностей: диадемы вшили в тульи шляп, камни — в специально приготовленный жакет, а часть бриллиантов спрятали в банке, залив их парафином и чернилами.

> *Свадьба греческого принца Павлоса в 1995 году тоже могла быть скромной, ведь Греция давно отказалась от монархии, и семья изгнанного короля живет в Британии. Но у Павлоса случилась любовь с первого взгляда с американкой Марией-Шанталь Миллер, дочерью владельца крупной сети магазинов дьюти-фри. В результате союз титулы и денег отметили с размахом: пригласили полторы тысячи гостей, построили шатер в форме древнего Парфенона, привезли в Лондон сто тысяч свежих цветов из Эквидора, о мощной иллюминации специально предупреждали расположенный неподалеку аэропорт Хитроу. Попавшие и не попавшие на гуляния называли праздник «самой дорогой свадьбой в истории», оценивая ее в 8 миллионов долларов США, а размер приданого невесты в 200 миллионов долларов.*

Свадьба Кейт Миддлтон и принца Уильяма в 2011 году оказалась самой дорогой в истории Британии, но совсем не из-за платья невесты или свадебного торта. За сам праздник платила королева, и её расходы мало кого

Вверху: На шведской почтовой открытке – Великая княгиня Мария Павловна. Ее первый муж был шведским герцогом. Ок. 1910 г.
Внизу: Столы ждут гостей. На свадьбе князя Монако Альбера II и Шарлин Уитсток. 2011 г.

волновали, а вот меры обеспечения безопасности оплачивались из казны. Первоначально запланированная сумма удвоилась, когда день свадьбы объявили в стране выходным (британские полицейские в выходные работают по двойному тарифу) и цена свадьбы получилась не менее 33 миллионов долларов США.

В королевстве Непал самой дорогой была свадьба наследника престола (заодно почитаемого как бога) Бирендры и его троюродной сестры Айшварии в 1970 году. Про ту свадьбу говорят, что в сегодняшних ценах она стоила бы 56 миллионов долларов США. Для высокогорного королевства, быть может, это и заоблачная сумма, но по крайней мере к празднику отремонтировали и расширили дороги, поставили фонари, построили новый королевский дворец. Как обычно

в Непале, принц приехал к любимой невесте на слоне.

На рассвете ко дворцу своей невесты прискакал на белом коне арабский шейх Мохаммед ибн Рашид аль-Мактум в мае 1981 года. Он послал принцессе Саламе караван из 20 верблюдов, несших на горбах драгоценности, а во время многодневных торжеств шейх объехал верхом весь эмират Дубай, раздавая подданным праздничную еду. Для 20 тысяч вип-гостей построили стадион и развлекали их там целую неделю. По сегодняшним ценам та свадьба обошлась больше чем в 110 миллионов нефтяных долларов США, только сама принцесса Салама увидала разве что драгоценности, присланные с верблюдами: по строгим местным правилам, во время свадьбы невеста на люди не показывалась.

Слева: Салют и музыка космоса. Торжественное шоу Жан-Мишеля Жарра на монаршей свадьбе в Монако. 2011 г.
Вверху: Марокканский формат даров. На свадьбе короля Мухаммеда VI и Сальмы Беннани. 2002 г.

Свадебное платье

О МНОГОМ ПЕРЕД СВАДЬБОЙ ЗАБОТЯТСЯ
РОДИТЕЛИ, О ЧЕМ-ТО ЖЕНИХ, О ЧЕМ-ТО ДРУЗЬЯ.
НО И У НЕВЕСТЫ ПОЛНО ЗАБОТ. И САМАЯ
ПРЕКРАСНАЯ ИЗ НИХ – О СВАДЕБНОМ ПЛАТЬЕ.

Принцесса Мария Текская, потратив весь день на примерку (платье для церемонии и приданое: 40 выходных костюмов плюс 15 бальных платьев плюс 5 домашних) в отчаянии жаловалась, что ответить на любовное письмо жениха (будущего короля Георга V) уже нет сил.

А Беренгария Наваррская запомнилась только одним платьем. Она плыла к жениху, королю Ричарду Львиное Сердце, который воевал в Крестовом походе, и из-за шторма вынужденно остановилась на Кипре. Увы, хронисты тех времен не интересовались женской одеждой… Львиное Сердце живописно предстает в тяжелом розовом шелке, с вышивками в виде серебряных солнц и золотых месяцев, в бархатном красном головном уборе и золотых сапогах с серебряными шпорами. А на невесте – корона с бриллиантами, бриллиантовый пояс, вуаль и – просто кружевной наряд, сшитый к свадьбе 1191 года в местной деревушке Лефкара (вышивки

и кружева туристки покупают там и сегодня).
Какой фасон? Узоры? Может, шлейф? Может
быть, но подробности до потомков не до-
шли: платье принцессы Беренгарии – просто
один из самых первых упомянутых свадебных
нарядов.

А платье Маргариты I Датской можно по-
трогать – это самый древний дошедший до нас
праздничный женский наряд. В 1363 году
Маргарита вышла замуж за короля Швеции
и Норвегии. Парча на красной шелковой
основе с нитями настоящего золота, пышные
узоры в форме лавровых ветвей и плодов гра-
ната с центральным мотивом, напоминающим
ананас. Уникальное платье в конце XX века
проверили с помощью радиоуглеродного
анализа – и похоже, что его сшили, когда
королева Маргарита была уже давно замужем.
Ну что ж, возможно, это сияющее золотом
платье королева надевала позже.

*В золотом выходила замуж другая Маргарита,
принцесса Шотландская; в золоте с белым была
Маргарита Йоркская, а в золоте с синим – невеста
брунейского принца Пенгиран Анак Сара. Серебряные платья блистали не меньше – например,
у невесты шведского короля Карла XIII, Едвиги-Эли-
заветы-Шарлотты Гольштейн-Готторпской тонкую талию (48 см!) подчеркивала гигантская юбка
с фижмами по моде XVIII века. Свадебный шедевр
будущей российской императрицы Екатерины II
можно увидеть и сегодня: на серебряной ткани
узоры чуть другого, но тоже серебряного оттенка.
И только волосы брюнетка Екатерина Алексеевна
запудрить серебристым цветом отказалась.*

Королева Мария Тюдор выходила замуж
в черном платье, расшитом драгоценными
камнями – на таком фоне они смотрелись особенно эффектно. Очень долго никто и не думал о едином свадебном цвете и стиле, принцессы надевали на свадьбу то, что казалось
самым красивым, что лучше шло – и, между
прочим, удавалось это не всем. Мария Стюарт,
королева Шотландская, для свадьбы с фран-
цузским дофином выбрала белое платье, но ее
не поняли – в XVI веке во Франции это был
цвет траура. Блистающее платье принцессы
Уэльской Шарлотты на свадьбе с принцем
Леопольдом в 1816 году расхвалили все мод-

всей в белом – в Викторианскую эпоху стали классикой жанра.

После Виктории выходить замуж не в белом решались немногие, особенно в Британии, и будущая королева Елизавета II осталась верна стилю прапрабабушки. Она готовилась к свадьбе в 1947 году, когда страна еще не отказалась от карточной системы военного времени. Ткани продавали по карточкам, и никакая королевская воля изменить это не могла. Елизавета стала копить карточки, а после объявления о высочайшей помолвке воодушевленные подданные слали ей свои (хотя по закону отдавать свою карточку было запрещено). Так или иначе, Елизавета купила нужные ткани, и платье с четырехметровым шлейфом было сшито. Портной Елизаветы Норман Хартнел специально развеивал слухи, что шелк для свадебного платья был вражеский, японский или итальянский. Нет, два года спустя после Второй мировой шелковые черви должны быть только китайскими – такими политкорректными они и оказались.

Надевать атласное платье с 10 000 жемчужин и бессчетными звездами, розами Йорка и колосьями Елизавете пришлось целый час. Но не стоит думать, что раздеваться после свадьбы проще: по примете, если фрейлина забудет вынуть из платья хоть одну булавку, она навсегда останется старой девой.

ные журналы, но многие присутствовавшие на церемонии добавляли, что с манерами у девушки не очень (в самый ответственный момент она хихикала и всем видом давала понять, что ждет окончания церемонии). Словом, общее впечатление получилось смазанным.

Стиль на века определила английская королева Виктория в 1840 году. Дело даже не в ее платье – белом атласе, белых хонитонских кружевах и россыпях флердоранжа. Виктория целых 63 года правила «империей, над которой не заходит солнце» – мощной державой, лидером в науках, технологиях и стиле. Картинки королевской «свадьбы века» и невесты –

Королевские кольца

ОБРУЧАЛЬНЫЕ КОЛЬЦА ПОДДАННЫХ – СИМВОЛ
ЛЮБВИ, БЕСКОНЕЧНОЙ И СОВЕРШЕННОЙ, КАК
И САМО КОЛЬЦО. А КОРОЛЕВСКИЕ КОЛЬЦА –
ЭТО ЕЩЕ И ИСТОРИЯ, ИНОГДА РАДОСТНАЯ,
А ИНОГДА НЕ ОЧЕНЬ.

Это трудно представить, но когда-то кольца носили на большом пальце. Впрочем, безымянный давно перехватил инициативу, только в одних странах кольцо теперь носят на левой руке, а в других – на правой. Объяснений масса: по левой руке проходит вена прямо в сердце; правая (десница) делает добрые дела; левая рука «нечистая» – на самом деле, просто традиции везде разные.

Принцесса, первой получившая от жениха кольцо, – Мария Бургундская (по крайней мере, это первый известный случай). В 1477 году эрцгерцог Максимилиан династии Габсбургов подарил Марии кольцо, на котором алмазами была выложена буква «М». Двадцатилетняя Мария, единственная дочь и наследница бургундского герцога, в те годы – желанная невеста для всех знатных женихов Европы. Сватались к ней многие, и из двух главных претендентов семилетнему Карлу из Парижа она предпочла восемнадцатилетнего Максимилиана из Вены. Совсем не

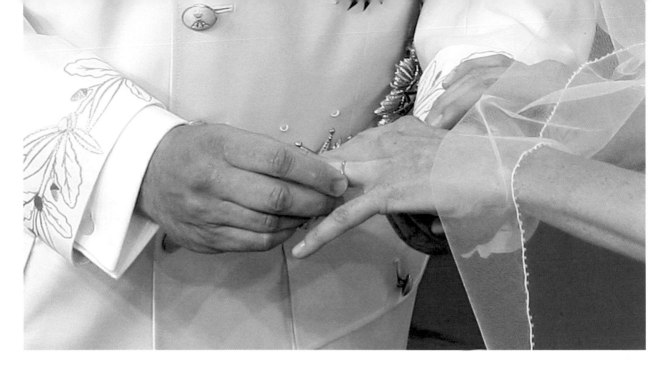

из-за кольца и не из-за возраста: Бургундия с Францией воевала, а Максимилиан был союзником. Их брак был недолгим, за пять лет Мария родила троих детей и погибла, упав с лошади. А дочь ее, принцесса Маргарет (может, с тем самым кольцом по наследству, а может, и без) вышла замуж за того самого парижанина Карла, который позже стал королем Франции Карлом VIII.

Другая Мария, из династии Тюдоров, была самой юной принцессой, надевшей кольцо в честь помолвки: ей было всего два года, когда ее пообещали в жены французскому дофину Франциску. Новорожденного Франциска на церемонию не привезли, его представлял 30-летний адмирал Франции Гийом Гуфье, и, по легенде, малышка Мария, не смутившись разницы в росте и возрасте, спросила адмирала: «Вы дофин Франции? Если да, желаю вас поцеловать».

Крошечное золотое колечко с бриллиантом скоро стало Марии мало, а через три года и помолвку расторгли – у отца Марии короля

Генриха VIII поменялись планы. Потом была еще одна помолвка, опять не приведшая ни к чему… Замуж Мария Тюдор вышла только в 37-летнем возрасте, детей не имела, а свадебное кольцо стало для нее символом и супружества, и религии: Мария была католичкой, печально вошла в историю королевой Марией Кровавой – Блади Мэри – из-за гонений на протестантов в Англии. Среди прочих расхождений с католиками протестанты отличались тогда тем, что кольца носили на левой руке – Мария, конечно, носила свое строго на правой. Она скончалась, пробыв на троне всего 5 лет, и страной 44 года правила ее единокровная сестра, протестантка Елизавета.

Это был «золотой век» Англии, когда творили Шекспир и Бэкон, когда англичане разгромили испанскую Армаду и основали Ост-Индскую компанию. Кольцо Елизаветы дожило до сегодняшнего дня – и оно даже более известно, чем кольца ее сестры Марии. Во-первых, кольцо не было обручальным – королева оставалась незамужней до самой

смерти и прозвана была «Королевой-девственницей». В эпоху, когда королевская свадьба была важным инструментом политики, Елизавета объясняла парламенту: «Я уже замужем, и моего мужа зовут Английское королевство». Свою руку ей предлагали многие первые лица Европы (и даже первый царь всея Руси Иван Грозный). Она дипломатически медлила с ответами, но ни руку, ни сердце, ни обручальное кольцо ни от кого так и не приняла. Она носила свое кольцо – и властью ни с кем так и не поделилась.

Перламутровое кольцо Елизаветы усыпано рубинами, а рядом с крупной жемчужиной поверх «R» (от *лат.* regina – королева) из голубой эмали шесть бриллиантов образуют «Е». Но главный секрет кольца Елизаветы подданные разглядели уже после ее смерти: оно было с медальоном. Под драгоценными буквами скрываются два портрета: самой Елизаветы и ее матери, Анны Болейн, казненной мужем Генрихом VIII, когда Елизавете было всего два года.

Королевских стилей в кольцах хватает: крупное кольцо с гроздью бриллиантов оваль-

ной формы – это стиль Людовика XVI. Древнеримскую традицию делать кольцо в форме змейки уже второе столетие называют именем английской королевы Виктории. Именно такое кольцо Виктории подарил принц Альберт – из желтого золота, украшенное изумрудами. Викторианские кольца – переплетающиеся сердца, инициалы и змейки – сентиментальный стиль XIX века.

Наследник греческого престола Филипп, готовясь к свадьбе в 1947 году, не мог позволить себе купить кольцо, достойное его возлюбленной, английской принцессы Елизаветы (будущей королевы Елизаветы II). Драгоценные камни для платинового кольца в честь помолвки он взял из тиары своей матери, принцессы Греческой, а дизайн придумал сам: в центре крупный 3-каратный бриллиант и по пять маленьких бриллиантиков с обеих сторон. Говорят, когда Елизавета сердится, она крутит это кольцо на пальце. И кстати, о бриллиантах: королева Елизавета II стала первым в истории британским монархом, отпраздновавшим бриллиантовую свадьбу (в 2007 году).

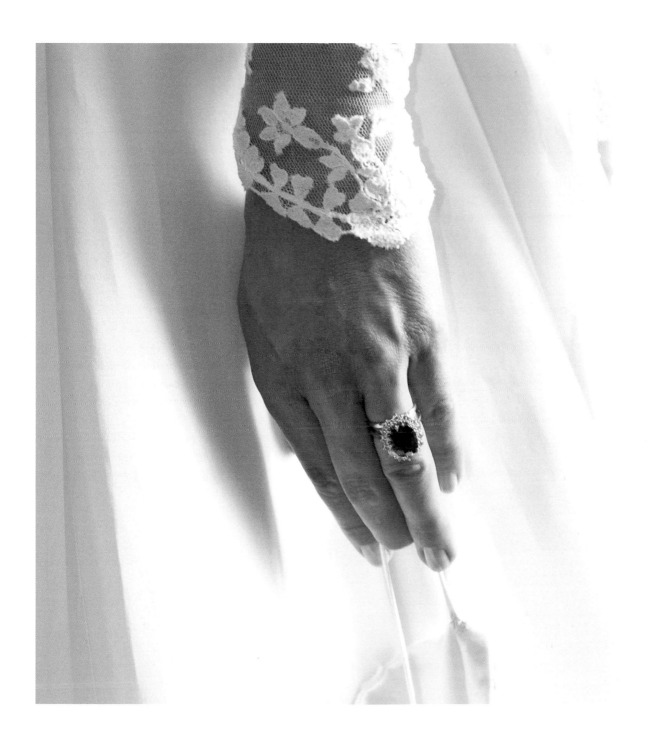

18-каратный сапфир в обрамлении 14 бриллиантов.
Обручальное кольцо своей матери принц Уильям подарил невесте Кейт Миддлтон в знак помолвки

Прически и украшения

ПЛАТЬЕ БАБУШКИ-КОРОЛЕВЫ ВЫШЛО
ИЗ МОДЫ, СТАРЫЕ ТУФЕЛЬКИ ПОДИ ПЕРЕДЕЛАЙ
ПОД НУЖНЫЙ РАЗМЕР, КОЛЬЦА ПОДДАННЫМ ЕЩЕ
РАЗГЛЯДЕТЬ НУЖНО, А ВОТ СИЯНИЕ СТАРИННЫХ
БРИЛЛИАНТОВ В ВОЛОСАХ ВИДНО ИЗДАЛЕКА.

Австро-Венгерская империя почти век как распалась, но бриллианты ее живут. В 1993 году на свадьбе наследника Габсбургов эрцгерцога Карла и баронессы Франчески Тиссен невеста блистала тиарой-бандо из четырех рядов бриллиантов с шестью жемчужинами в бриллиантовых же цветочных узорах. И главной новостью стала даже не свадьба, а это бандо, принадлежавшее когда-то Елизавете, австрийской императрице и королеве Венгрии. Одна из знаменитых красавиц Европы второй половины XIX века, Елизавета славилась длинными пышными волосами, которые служанка расчесывала ежедневно не меньше двух часов. А императрица время не теряла, занималась во время этих парикмахерских сеансов иностранными языками – выучила английский, французский, греческий и даже венгерский.

не стесняются надевать снова и снова: свою свадебную тиару носит и Клэр, и норвежская кронпринцесса Метте-Марит, и датская Мэри. Удивительно практичная драгоценность, которую можно и разобрать, и переделать: бандо носят как ожерелье, части тиары – как броши.

Но не все они у принцесс антикварные: свадебным подарком от жениха, монакского князя Альбера, Шарлин Уитсток получила даже не готовую тиару, а эскизы от разных ювелиров – и выбрала понравившуюся ей идею Лоренца Боймера. Словно брызги морских волн на берегу Монако, драгоценные камни разлетаются на этой асимметричной тиаре из белого золота, названной «Алмазная пена».

Для своей свадьбы с наследником британского престола в 1981 году Диана Спенсер выбрала семейную реликвию – тяжелую золотую тиару с узорами в форме тюльпанов и звезд, украшенную бриллиантами в серебряной оправе. К вечеру от тяжести украшения у нее раскалывалась голова, но после свадьбы Диана не раз еще надевала эту тиару. Бриллианты семьи Спенсеров не просто блистали в золотистых волосах – они словно подчеркивали независимость принцессы Уэльской.

Но вернемся к королевским свадьбам, ведь любая из них – это выставка антикварных драгоценностей и повод блеснуть новыми. Тиара или диадема – идеальный свадебный подарок для принцессы. В 1297 году английский король Эдуард Длинноногий подарил на свадьбу своей дочери Елизавете золотую диадему с жемчугами, изумрудами и рубинами. Прошло семь веков – а приоритеты все те же: в 2003 году бельгийский король Альберт и королева Паола, принимая в монаршью семью Клэр Комбс, избранницу их сына Лорана, преподнесли ей в подарок тонкую, воздушную тиару с жемчугом и бриллиантами.

Кстати, тиара – единственный предмет свадебного облачения, который принцессы

Двоюродную сестру императора Николая II, Великую княжну Марию Павловну, к свадьбе в 1908 году наряжали и приукрашивали в Большом дворце Царского Села. На фоне блистательных интерьеров никакая пышность не должна казаться чрезмерной, и все же: предварительно завив волосы (парикмахер отдельно поработал над двумя локонами, спадавшими на плечи), Великой княжне надели

диадему императрицы Екатерины с розовым бриллиантом, потом накинули кружевную вуаль и укрепили маленькую корону из малинового бархата, усыпанную бриллиантами, а на уши повесили золотые ободки, с которых свисали массивные серьги в форме вишен. Это все украшения на голове – а еще ведь были браслеты и бриллиантовые ожерелья, шлейф платья с веточками флердоранжа и бархатная мантия, отделанная горностаем. Император после благословения даже помогал кузине встать, придерживая за локоть, – сама она почти не могла двигаться. В середине свадебного обеда у невесты от сережек-вишен так разболелись уши, что она сняла их и повесила на краешек своего стакана с водой.

Русских принцесс – Великих княжон – в XIX столетии по традиции расчесывали и наряжали перед свадьбой у золотого туалетного прибора времен императрицы Елизаветы. Дочь Петра Великого могла бы много рассказать об украшениях для волос и о прическах, ведь как раз при ней расцвело

парикмахерское искусство в Европе. Парикмахеры временами даже работали на лесенках, обустраивая на высочайших головках высокие композиции. С готовыми прическами дамы высшего света порой спали сидя, поддерживаемые слугами, чтобы масштабно уложенные волосы не пострадали.

А ведь бывает и наоборот, когда волос не много, а мало. Принцесса Монакская Каролина в 1996 году поразила папарацци оригинальными платочками и тюрбанами: пресса и не сразу догадалась, в чем дело. Вероятно, из-за стресса у Каролины начали выпадать волосы, и она поступила мужественно, как настоящая принцесса: побрилась налысо! К счастью, заново отросшие волосы у нее выглядят хорошо. А жила бы в другие времена – могла бы оставаться лысой, как знаменитая египтянка Нефертити. По моде своего времени королева регулярно брила голову, а на голый череп надевала парики из человеческих волос, раскрашенные в самые разные цвета.

Слева: Шведская принцесса Мадлен блистает на свадьбе Метте-Марит и Хокона, кронпринца Норвегии. 2001 г.
Вверху: Диадема русской императрицы Елизаветы Алексеевны, жены императора Александра I. *Внизу:* Тиару «Делийский дурбар», изготовленную в 1911 г., нынешняя владелица Елизавета II разрешала надеть своей невестке Камилле, герцогине Корнуэльской

Шляпки

НА ЧТО ПРИЧЕСКЕ НЕ ХВАТАЕТ СЛОВ, ТО ДОГОВАРИВАЕТ ШЛЯПКА. И КАК ЭКСТРАВАГАНТНЫ БЫВАЮТ ЭТИ ПОСЛАНИЯ!

Самую первую шляпку из гардероба принцессы на Западе так и называют сейчас – «шляпка принцессы». Ее надевают малышкам на утренники и дни рождения, и тут мы от Запада отстаем: у нас это скорее из костюма феи, а ведь волшебницы встречаются гораздо реже принцесс. Такой колпак, похожий на вафельный рожок, бывает с острым кончиком, а бывает и усеченный – точно как для мороженого. Вуаль светлая, длинная – и здесь прогресса за века нет никакого, но цвет изменился: сегодняшняя «шляпка принцессы» чаще розовая или золотая, а 600 лет назад была потемнее: синяя, красная или черная. Это были самые дорогие краски, а значит, самые престижные цвета.

Первая шляпка-колпак – дорогое удовольствие, простая публика не потянула бы, да и не разрешалось: шляпки вообще долго были символом принадлежности к высшему свету. В Брюгге в 1468 году сыграли «свадьбу века» – по рассказам современников, самую пышную и торжественную церемонию, которую видала в те времена Европа. Карл Смелый брал в жены английскую принцессу Маргариту, и невеста надела колпак, а уж поверх колпака – корону. Ту корону до сих хранят в кафедральном соборе Аахена, хотя колпак до наших дней не дожил.

Их носили длинные и короткие, одинарные и раздвоенные (тогда получалось похоже на крылья бабочки, особенно с вуалью). Некоторые завязывали веревочками под подбородком, но чаще прикрепляли прямо к волосам, туго затягивая их под колпак.

Золотая эпоха шляпок – XVIII век. Когда пример подает принцесса, королева, первое лицо – модницы подхватят. Двадцать лет тон задавала в Петербурге блистательная Елисавет, а потом еще почти двадцать лет европейской модой правила Мария-Антуанетта, принцесса Французская, а затем и королева Франции. Это эпоха громадных, полностью покрывающих волосы шляп – например, в виде корабля. А другие можно было сложить или, наоборот, раздвинуть – как крышу кабриолета или кареты.

Главной звездой викторианской эпохи была сама английская королева Виктория, но шляпками – увы! – она не блистала, обычно выбирала капор (его тогда все носили). Трендсеттером же была именно что принцесса – принцесса Уэльская Александра (кстати, тетушка последнего русского царя). Конец XIX – начало XX века, эпоха протеста. В области шляпок протестовали против птичьих перьев и целых птичьих тушек на голове – и кое-чего доби-

лись. Каждое чудо в перьях стоило прилично (особенно если птица экзотическая), английские ценники тех времен доходили до ста фунтов – это по нынешним ценам больше тысячи фунтов. Принцесса Александра запретила шляпки с перьями редких птиц при дворе, а потом британский парламент поддержал запрет для остальных подданных. Вместо райских птичек и прочих исчезающих видов стали ощипывать страусов и прочих пернатых, которых разводили на фермах.

Со временем шляпки уменьшились и даже перестали быть обязательными, хотя их

Герцогиня Кембриджская в шляпке с приподвывертом

по-прежнему носили в королевских семьях. Леди Боуз-Лайон, выйдя замуж за принца Альберта в 1923 году, долго не могла найти свой стиль ни в одежде, ни в головных уборах. Став королевой, с помощью штатного модельера она полностью поменяла стиль, а больше всего запомнилась уже в образе королевы-матери в шляпке с вуалью. Долгожительница (прожила 101 год!), только она в 1999 году могла позволить себе прийти в шляпке на свадьбу внука, принца Эдварда, куда всех специально приглашали без шляп.

Но кто будет следовать за королевой-матерью глубоко пенсионного возраста? Угасший было интерес к шляпкам вернула все-таки принцесса – принцесса Уэльская Диана. Девушке в 20 лет какая шляпка не пристанет?

Говорят, Диана поначалу надевала их от смущения и неуверенности в себе. Как бы то ни было, это были самые разные головные уборы – фетровые, с перышками, тиары, меховые шапки – на любой вкус и цвет. Вот уж точно «народная принцесса»!

А владелица самой заметной шляпки 2011 года, принцесса Йоркская Беатрис, отгуляла на главной свадьбе XXI века (см. «Кэтрин, герцогиня Кембриджская) и не стала хранить шляпку в чулане. Незабываемый осьминогообразный убор она продала на интернет-аукционе eBay, а вырученные деньги (81 100 фунтов стерлингов за шляпку!) отдала на благотворительность.

Вот такая получилась история – о шляпках то ли принцесс, то ли волшебниц.

Вверху: В шляпках при полном параде. Королева Елизавета и принцесса Маргарет. 1949 г.
Справа: Принцессы Йоркские – Беатрис в знаменитой шляпке (справа) и Евгения, недалеко ушедшая от сестры

Туфельки

НА СВАДЬБЕ ИХ ОБЫЧНО НЕ ВИДНО – РАЗВЕ ЧТО
ПРИ ВЫХОДЕ ИЗ КАРЕТЫ ИЛИ НА ЛЕСТНИЦЕ
МЕЛЬКНЕТ НОСОК ИЗ-ПОД ДЛИННОГО ПЛАТЬЯ.
И ВСЕ ЖЕ К НИМ СТОИТ ПРИСМОТРЕТЬСЯ.
ВЕДЬ ТУФЕЛЬКИ – ЭТО ХАРАКТЕР.

Невесту принца всегда осматривают с головы до ног, и что делать, если ты некоролевских кровей, нездешняя, не то чтобы красавица и ростом не выше метра пятидесяти? Дополнительные пять сантиметров не особенно подняли четырнадцатилетнюю итальянку Екатерину Медичи в глазах французского двора на свадьбе 1533 года, но сам каблук! Решительным шагом она вошла в историю не только женой одного короля Франции и матерью троих – она еще и первая королевская невеста, о каблучках которой говорят до сих пор.

Правда, мода на высокий каблук пришла позже (и некоторые считают историю про Медичи легендой), но вот в обуви на танкетке высший свет вышагивал давно. Невысокая леди Джейн Грей короновалась в 1553 году в Лондоне как раз в туфельках-платформах. Тогдашняя красота по-европейски: беднота босоногая, а знать в обуви, и чем знатнее – тем выше подошва, сантиметров до двадцати, а то и до пятидесяти! Такие туфельки, конечно, интимная деталь, они прячутся под платье-макси – зато какой призывной выглядит походка. Последнюю египетскую царицу, чувственную Клеопатру, итальянец Бордоне изобразил по моде своего XVI века – с вызывающе выставленной туфелькой на высокой подошве.

Обувь – непременная деталь свадебных обрядов. Сегодня в Европе и Америке часто привязывают ботинок к свадебному лимузину, а когда-то в русских деревнях молодоженам на выходе из церкви бросали старые лапти – «на счастье, на веселье».

В 1891 году немецкий кайзер Вильгельм II ровно так же – «на счастье, на веселье» – бросал старый ботинок вослед карете своей кузины, принцессы Марии Луизы, вышедшей замуж за принца Ариберта Ангальтского.

Немецкие принцессы давным-давно бросали туфельку гостям на свадьбе: в кого попадет – та вскоре замуж пойдет. Потом обычай стал гуманнее – бросать с тем же смыслом стали букет. Но и туфельки не забыты. Невесты в российской царской семье шли на венчание, подложив себе в туфельку полуимпериал. Последняя русская царица Александра Федоровна потом хранила эту золотую монету в своем кабинете в Зимнем дворце. А в Британии выбрали серебро. По старой английской поговорке, в свадебном платье нужна деталь и старая, и новая, и взятая у друзей, и голубенькая, а в туфельке – серебряная монета в шесть пенсов («Something Old, Something New, Something Borrowed,

Something Blue and a Silver Sixpence in Her Shoe»). Монетка – на счастье, показывать ее не принято, но после каждой королевской свадьбы официально подтверждают: была, была. Правда, с 1971 года шестипенсовики больше не чеканят, и королевские невесты, скорее всего, выходят из положения, как и все остальные: подкладывают другую монетку или покупают сувенирный шестипенсовик. А может, королева дарит им антикварные со своим профилем?

Невысокая принцесса Фридерика Прусская выходила замуж за герцога Йоркского в 1791 году в крошечных туфельках, расшитых драгоценными камнями. Двор оценил вкус и размер ноги невесты – маленькие, отделанные драгоценностями туфельки вошли

Вверху: Клеопатра с обнаженной туфелькой. Картина П. Бордоне
Внизу: Счастливый полуимпериал

102

каблуке, но Летиция встретила знакомого журналиста и специально показала свой почти десятисантиметровый каблучок: «Не такой он и высокий!»

Белые атласные туфельки вошли в моду полтора столетия назад вместе с белым свадебным платьем королевы Виктории, но фасон у каждой невесты свой. Расшитые кружевами свадебные туфельки Кейт Миддлтон овеяны легендой: чтобы сохранить их девственно чистый цвет, вышивальщицы мыли руки каждые полчаса и каждые три часа меняли иглы. Обувь на королевские свадьбы делают на заказ, похожая модель от Alexander McQueen потом продавалась в Британии за шестьсот с лишним фунтов, а сейчас ее вообще нет в продаже. Но принцессы все ближе к народу, и другие царские черевички доступнее. На каждый день Кейт закупает простые балетки за сто тридцать фунтов в совсем не эксклюзивной French Sole. Когда-то туда захаживала Диана, и британцы не преминули отметить: Кейт хочет идти по стопам «народной принцессы».

На свадьбе внучки Елизаветы II Зары Филипс летом 2011 года туфли невесты, как обычно, лишь изредка показывали носок цвета слоновой кости из-под подола платья до пят. Какие они целиком? Никто так и не разглядел. Но взволновало всех другое: все гостьи – совершенно все, включая королеву! – были в туфельках телесного цвета. Совпадение, новая мода или дресс-код (скорее шуз-код)? Без комментариев. Зато вечером Зара разулась и танцевала босиком, признавшись подруге: «Весь день об этом мечтала!» В конце свадебного дня ее поймет любая невеста.

в моду, принц Йоркский подарил невесте еще шесть пар обуви в том же стиле. Охи и ахи в высшем свете так затянулись, что известный карикатурист Джеймс Гилрей отозвался незабываемым офортом. Самый известный в мире портрет обуви – причем сразу двух пар – саркастически назван «Модные контрасты, или Крохотные туфельки герцогини сдались перед великолепием башмаков герцога».

Испанская принцесса Летиция тоже на голову ниже своего принца, но сдаваться не в ее характере. Ее Высочеству нравятся шпильки – в них она и на свадьбе, и в будни. После помолвки с Фелипе пресса было заикнулась, что невеста щеголяет на слишком высоком

Туфельки Кейт Миддлтон на всеобщем обозрении через три месяца после королевской свадьбы

Вверху: Принцесса Датская Мэри пришла в этих туфельках на Международную выставку моды в Копенгагене. 2005 г.

Внизу: Шпильки – привычная обувь Летиции, принцессы Астурийской

Цветы

КАКИЕ ЦВЕТЫ ВЫБРАТЬ? ЧЕМ УКРАСИТЬ ВЕНЧАНИЕ? А ДОРОГУ, ПО КОТОРОЙ ПРОЕДЕТ СВАДЕБНЫЙ КОРТЕЖ? ПРАЗДНИЧНЫЙ ЗАЛ? ЧТО, НАКОНЕЦ, ВОЗЬМЕТ В РУКИ НЕВЕСТА? ЦВЕТЫ ЗАПОМИНАЮТСЯ НЕ МЕНЬШЕ СВАДЕБНОГО ПЛАТЬЯ – А ИНОГДА И БОЛЬШЕ.

Н а обеде после венчания эрцгерцога Австрийского Максимилиана и Марии Бургундской теща предложила зятю игру: а найди-ка у невесты спрятанную гвоздику! К радости гостей, цветок был найден под корсажем новобрачной. Хотя сделаем скидку на времена и нравы – свадьбу Максимилиана и Марии сыграли в 1477 году.

Леди Елизавете Боуз-Лайон с платьем не очень повезло, а вот то, что она сделала с букетом, стало обязательной частью программы британской королевской свадьбы. Перед церемонией в Вестминстерском аббатстве она положила свой букет на Могилу Неизвестного Солдата. Свадьбу справляли в апреле 1923 года, когда и пяти лет не прошло после окончания Первой мировой войны. Правда,

теперь британские принцессы оставляют букет на мемориале уже после венчания.

На свадьбе принцессы Бельгийской Матильды в 1999 году только в церкви было 25 тысяч цветов, но в таком деле число — не главное. В букетах британских принцесс XX века непременно есть мирт; эта запутанная история началась во времена расцвета Британской империи, и ее стоит рассказать подробнее.

Часто пересказываемый миф гласит, что принц Альберт привез веточку мирта из Германии в подарок своей невесте королеве Виктории на свадьбу 1840 года. Виктория, мол, вплела мирт в свадебный букет, а потом посадила в садике, веточка дала корни и прочая и прочая. На самом деле сентиментальности тут поменьше, а символичности больше:

букет из мирта действительно подарили королеве Виктории, но не на свадьбу, а просто так, во время ее визита на родину мужа, в германское герцогство Саксен-Кобург-Гота. Королева привезла букет домой и посадила цветы в своей резиденции на острове Уайт. Спустя годы старшая дочь королевы (тоже Виктория) собралась замуж за немецкого кайзера. И вот тут старый куст мирта сыграл свою дипломатическую роль: королева Виктория добавила тот самый мирт в свадебный букет своей дочери. Теперь мирт в Британии — практически национальное достояние: напоминает о разнообразных Викториях и заодно добавляет отзвук старины в королевские свадебные букеты.

Флористическая мода предполагает обычно или круглый, или каскадный (водопадом или капелькой) букет невесты, но это дело техники. Намного интереснее символы — ведь каждый цветок готовы толковать. Уже упомянутый мирт, к примеру, считают символом любви и брака. Ландыш — доверие. Колосья пшеницы — плодородие (его особенно ждут от принцесс). Но вот, скажем, австралийский эвкалипт — к чему он? Толкование до сих пор не придумали.

Кроме несомненной оригинальности в свадебном букете он вроде значит только то, что это эвкалипт, растущий в Австралии. Хотя если он в букете у принцессы Датской Мэри — это совсем другое дело: датский кронпринц Фредерик нашел невесту как раз в Австралии. Эвкалипт, получается, — привет с родины.

Каллы и розы – самые заметные цветы в букете
на свадьбе Софи Риз-Джонс и принца Эдварда, младшего сына королевы Елизаветы II. 1999 г.

А что делать с букетом после церемонии? Все-таки королевские свадьбы не тот случай, где можно просто бросить цветы незамужним гостьям: церемонии такого не предусматривают.

Брунейская принцесса Сара тем более не рискнула бы бросаться букетом еще и потому, что он был не из цветов и не из колосьев, а из золота. Натурального золота, бриллиантов и других драгоценных камней. Пришлось оставить его на память. А болгарская принцесса Калина в 2002 году поступила проще: она раздала свой букет по цветочку людям, собравшимся у церкви и певшим ей народные песни. Кто-то может предположить, что Калина была уже ненастоящей принцессой, ведь Болгария давно не царство. Но в тот момент, когда Калина справляла свадьбу, ее отец Симеон II работал премьер-министром Болгарии. Между прочим, редкий пример, когда монарх, пусть на время, возвращается к власти через выборы.

А что делать, если букет потерялся? Неприятно, конечно, но именно это случилось в 1947 году на свадьбе принцессы Елизаветы, будущей английской королевы. Букет из белых орхидей был у нее в руках во время церемонии венчания, но к моменту торжественного фотографирования пропал – то ли потерялся по дороге из Вестминстерского аббатства, то ли положили куда-то не туда на обеде. Групповое семейное фото сделали без цветов – что, конечно, выглядит странно. Вскоре после свадьбы заказали новый букет – но не смогли собрать всех родственников (такое бывает и у принцесс). Поэтому на памятных фото со свадьбы Елизавета или с букетом, но без родни, или с родней, но без букета. И суеверных просим не беспокоиться: с цветами или без цветов, Елизавета и Филипп живут вполне себе долго и счастливо.

Вверху: В свадебном букете Мэри Дональдсон цветы с ее родины переплетаются с цветами, растущими в дворцовых садах Фреденсборга, одной из резиденций датской королевской семьи. 2004 г.
Справа: Брунейская принцесса Сара с букетом из золота, привычного материала во дворце султана. 2004 г.

Что подарить

КАКОЙ БЫ НЕОБЫКНОВЕННОЙ НИ БЫЛА ПРИНЦЕССА, СВАДЕБНЫЙ ПОДАРОК ВЕКАМИ БЫЛ ТРАДИЦИОННЫМ: ЗОЛОТО, СЕРЕБРО, БРИЛЛИАНТЫ... ХОТЯ, ПРИНИМАЯ ПОДАРОК, НИКТО НЕ ЗНАЕТ, КАКАЯ СУДЬБА ЕГО ЖДЕТ!

Например, принцесса Изабелла, дочь французского короля Филиппа IV Красивого, получила от отца в подарок корону с драгоценными камнями, выходя замуж за английского короля Эдуарда II. Забавно – взойти на чужой престол со своей короной. Впрочем, позже Эдуард передарил все дарованные драгоценности своему фавориту, а Изабелла (известная как «французская волчица») подняла мятеж против мужа, и для него все кончилось печально.

Подарок с историей – веер из перламутра, украшенный алмазами и жемчугом – получился и у сестры последнего русского царя Великой княгини Ксении Александровны. После революции 1917 года она бежала с родины в Англию, и тогда было не до подарков. Но однажды Великая княгиня узнала, что новые власти России хотят продать ее свадебный подарок англичанам,

чтоб выручить валюту для диктатуры пролетариата. Английская аристократия раскупила для себя часть украшений семьи Романовых, но на бывшую драгоценность Ксении Александровны денег ни у кого не хватило. Свадебный веер дочки царя так и не прокормил большевиков, удовлетворенно рассказывала потомкам Великая княгиня.

А если уж не драгоценности, то книги – одно время их было принято дарить принцессам, выходящим за иностранцев и уезжающим за тридевять земель. Маргарита Анжуйская получила в подарок книгу рыцарских романов, и по этому случаю ее изобразили на специальной миниатюрe: одной рукой принимает фолиант от ученого мужа, другой держится за мужа настоящего, Генриха VI.

Веками свадебные подарки были делом вип-персон, но в XX веке от этой традиции стали отказываться – перед свадьбой своей старшей дочери английский король Георг VI разрешил принимать подарки от всех. Вероятно, король не предполагал, во что выльется эта история, а оказалось, подарков прислали почти 3 тысячи! В трудное время даже подарки сильных мира сего выглядели сравнительно скромно – китайский фарфор от Чан Кайши, скатерти и полотенца от Элеоноры Рузвельт, рододендроны для сада от Ротшильдов и кружевной платок из только что отделившейся Индии, сотканный лично Махатмой Ганди. «Какой бестактный подарок!» – изумленно заметила на это бабушка невесты, королева Мария (платок поначалу приняли за набедренную повязку).

Но среди свадебных подарков Елизавете и Филиппу также оказались:

– партия из 500 банок консервированных австралийских ананасов (с просьбой распределить по усмотрению невесты);

– 148 пар нейлоновых чулок;

– 16 ночных рубашек;

– электрическая стиральная машина;

– холодильник

и индейка от одной американки с комментарием, что ведь в Англии есть нечего. Не сказать, чтобы в Англии в 1947 году голодали,

Рыцарские романы – подарок графа Шрусбери на свадьбу Маргарите Анжуйской в 1445 г.

Подарки кронпринцу Датскому Фредерику и кронпринцессе Мэри заняли целый зал. 2004 г.

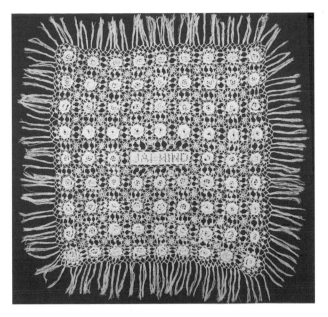

но Вторая мировая закончилась только два года назад, и в стране многое еще продавали по карточкам.

А как же подарки самим гостям? По давней традиции (когда гостей бывало немного) со свадьбы уносили бантики и розетки с платья невесты. Правда, тут случилась печальная история: Екатерина Брагансская, прибывшая в 1662 году на свадьбу в Англию из Португалии, не говорила по-английски и вообще смущалась. Сколько ни было у нее бантов – на память не осталось ничего, зато запомнилась давка гостей за бантиками прямо с платья невесты.

Со временем платья обдирать перестали и придумали специальные сувениры для гостей – вроде воткнутого в петлицу шаферского цветка. На свадьбе английской королевы Виктории и принца Альберта гостям вручали шелковые ленточки, украшенные изображе-ниями корон, любовных узелков и инициалами новобрачных V и А.

В XX веке оказалось, что свадебные сувениры любят и простые подданные. Например, в честь уже упомянутой свадьбы Елизаветы и Филиппа в 1947 году стали продавать носовые платки с портретами новобрачных. Королевская семья Виндзоров пыталась протестовать, но оказалось, никакого нарушения законов тут нет. Настоятельная высочайшая просьба купившим была лишь одна: никогда не пользоваться платками по прямому назначению.

Но платки, по крайней мере, можно было вставлять в карман для красоты, а вот один сувенир с портретами шведской принцессы Виктории и принца Даниеля немыслимо использовать иначе, чем по прямому назначению, – а что прикажете делать с тряпочкой для мытья посуды?

Музыка и танцы

САМАЯ ВОЗВЫШЕННАЯ, САМАЯ ВЕСЕЛАЯ,
САМАЯ ТРОГАТЕЛЬНАЯ, САМАЯ ЗАЖИГАТЕЛЬНАЯ,
МУЗЫКА С КОРОЛЕВСКИХ СВАДЕБ ПОРОЙ
ЖИВЕТ ДОЛЬШЕ СВАДЕБНЫХ НАРЯДОВ,
ПОДАРКОВ ДА И САМИХ КОРОЛЕЙ.

Первый в истории балет, например, написали как раз по случаю свадьбы при французском дворе – в 1581 году сестра королевы Луизы Лотарингской, Маргарита, выходила замуж за королевского фаворита, герцога де Жуайеза. Монархи для своих близких денег не жалели, отмечали целый месяц. Венцом гуляний стала постановка «Комедийный балет королевы»: невеста со своей сестрой-королевой в костюмах наяд и придворные 5 часов выступали перед гостями (жених от танцев уклонился). Либретто потом было напечатано с картинками и разошлось рекламой по всей Европе – французский так и стал языком балета с самого его рождения.

То же самое с оперой. Первую дошедшую до нас оперу – «Эвридику» – написал итальянец Якопо Пери специально для королевской свадьбы 1600 года. Его соотечественница Мария Медичи, дочка одного из богатейших людей Европы, выходила замуж за французского короля Генриха IV. Выбор темы может показаться странноватым: Орфей спустился за возлюбленной Эвридикой в ад, а ведь французский король за невестой даже не приехал – во Флоренции Марию Медичи венчали заочно. Но королевские правила приличия свадьбу «по доверенности» вполне допускали, тем более новобрачные потом еще погуляли во французском Лионе. А трагическую историю Орфея, у греков в аду и оставшегося, для праздничной оперы закончили хеппи-эндом (влюбленные вырывались из царства Аида).

17-летняя Шарлотта Мекленбург-Стрелицкая, взятая в жены английским королем Георгом III, вошла в историю музыки спонсором Моцарта и ученицей Иоганна Кристиана Баха (сына гениального композитора). Стоит ли удивляться, что на своей свадьбе 8 сентября 1761 года она не могла ограничиться прослушиванием музыки? Нет, страстная меломанка сама села за клавесин и устроила для гостей концерт – песни под собственный аккомпанемент. Вот что значит любовь к искусству: принцесса пропела до 3 часов ночи, а ведь ночь была ее первой брачной.

Но музыка на свадьбе – не дело вкуса, тут вопрос политический. В мае 1606 года на московской свадьбе русского царя Дмитрия и польки Марины Мнишек музыканты играли польскую музыку – гостям это очень не понравилось. Иноземной мелодией и танцами недовольство не ограничивалось, но запомнили прежде всего их, и меньше чем через две недели, во время бунта, свадебных музыкантов убили. Погиб и сам жених, оказавшийся Лжедмитрием, а неудавшаяся царица Марина

спаслась от ворвавшегося в покои народа, спрятавшись под юбкой дамы из свиты.

Свадебному танцу лучше все-таки быть привычным – например, датчане на свадьбах танцуют вальс под музыку своего классика Нильса Гаде. По традиции, твердо соблюдаемой и на королевских свадьбах правящей династии Глюксбургов, свадебный вальс исполняют незадолго до полуночи. Гости окружают танцующую пару молодоженов, хлопают в такт музыке и медленно, рассчитывая шаги, к концу вальса подходят совсем вплотную

Братские танцы. На танцполе – Шарлотта и Андреа Казираги, четвертая и второй в очереди на престол Княжества Монако. 2006 г.

к новобрачным. На свадьбе кронпринца Фредерика и Мэри Дональдсон 14 мая 2004 года традицию изящно подправили специально для телевидения, снимавшего танец сверху: гости встали вокруг танцующих не кругом, а хороводом в форме сердца.

Но как же самый главный свадебный марш? Да, музыкальное сопровождение в начале церемонии по всему миру разное, а вот в конце обычно играет увертюра Феликса Мендельсона к пьесе «Сон в летнюю ночь». В 1829 году, приехав исполнять свою музыку в Лондон, Мендельсон умудрился потерять только что написанную партитуру, но восстановил ее по памяти. Спустя сто с лишним лет против главного свадебного марша выступили немецкие нацисты (автор – еврей!), но попытки написать исконно арийскую свадебную музыку провалились.

Мендельсоновский марш стал популярен, конечно, благодаря королевской свадьбе – в январе 1858 года британская принцесса

Виктория выходила замуж за прусского кронпринца Фридриха. Главным организатором празднеств была мама невесты, королева Виктория, говорившая: «Чувствую себя так, словно сама снова выхожу замуж, только нервничаю гораздо больше».

Когда в конце церемонии в Королевской часовне Сент-Джеймсского дворца наконец заиграл ликующий марш, королева Виктория, по ее собственному признанию, была «так растрогана, так счастлива и испытывала такое облегчение, что готова была обнять каждого». Пожалуй, эти чувства вслед за английской королевой слушатели марша Мендельсона испытывают до сих пор.

Премьера мелодии. Под марш Мендельсона в 1858 г. принцесса Виктория выходит замуж за кронпринца Фридриха. Мама невесты, королева Виктория, стоит рядом в окружении детей.

В сердечном окружении. Кронпринц Фредерик и кронпринцесса Мэри танцуют свадебный вальс. По древней датской традиции молодоженам надо успеть сделать это до полуночи, чтобы не превратиться в тыквы. 2004 г.

Свадебный экипаж

У СВАДЕБНОГО КОРТЕЖА ВСЕГДА ГЛАВНАЯ ДОРОГА. А ЕСЛИ ОН ЕЩЕ И КОРОЛЕВСКИЙ, ТО НАПРАВЛЯЕТСЯ ПРЯМИКОМ В ИСТОРИЮ.

Королевских супругов часто выбирают за границей, и дорога к жениху может стать первым настоящим испытанием в жизни принцессы. Карета 17-летней немецкой принцессы Шарлотты по дороге из Мекленбург-Стрелица попала в грозу, а от молний загорелись несколько деревьев вдоль дороги! Словно этого было мало, на морском пути до Лондона корабль попал в шторм и вместо обычных трех дней маршрут занял девять. Выдержке настоящей принцессы, наверно, помогла английская галантность: Шарлотта плыла на корабле имени себя. Транспортные приключения на этом не закончились: жених, король Георг III, хотел на свадьбе воспользоваться специально сделанной каретой из золота, но сделать ее в срок не успели! Высотой в 3 с половиной метра, длиной более 7 метров, тяжеленную – 4 тонны – карету действительно покрыли золотом, украсили декоративными херувимами, львиными головами, тритонами и дельфинами – и старания оказались напрасными? История расставила все на свои места: Шарлотта все же прокатилась в Золотом экипаже после свадьбы. Начиная с сына Шарлотты, короля Георга IV, в нем отправляются на коронацию все британские монархи.

У одной из подруг Шарлотты дорога к жениху тоже была нелегкой. Огромная процессия в триста сорок лошадей прибыла из Франции за австрийской эрцгерцогиней Марией-Антонией, продуманный маршрут из Вены в Париж включал в себя кроме празднеств важную остановку на крохотном нейтральном островке посреди Рейна: в специально построенный церемониальный де-

ревянный павильон, отделанный гобеленами, девушка вошла в австрийской одежде, а вышла во всем исключительно французском. К жениху в Париж в роскошной карете, отделанной бархатом с позолотой, раскрашенной розами, милующимися голубками и колчанами Купидона, прибыла уже не просто дочь австрийского императора, а Мария-Антуанетта, невеста дофина, будущая королева Франции.

А через столетие голландской королеве Вильгельмине подданные подарили Золотую карету. Идея была простая: пусть в честь коронации монарха жители голландской столицы забудут об имущественных и прочих грани-

Голландский кронпринц Виллем Александр с невестой Максимой после венчания едут на исторической карете с изогнутой крышей. 2002 г.

Незабываемый свадебный кортеж кронпринца Брунея Аль-Мухтади Билла и его невесты Сары в марте 2004 года растянулся на 103 лимузина, везших родню султана Брунея, одного из главных мировых богачей, известного своей страстью к золоту. Начиналась свадебная кавалькада натурально золотым кабриолетом «роллс-ройс» с молодоженами. Над золотыми украшениями автомобиля и золотыми коронами новобрачных золотом сверкал навес, закрывавший их от тропического дождя – вероятно, тоже золотого.

цах, которые их разделяют. Пусть все, кто может, пожертвуют одинаковую сумму в четверть гульдена на символ единства нации. Идея увенчалась полным успехом: карета из позолоченного тикового дерева была сделана амстердамскими мастерами специально для любимой всеми королевы. Но Вильгельмина, как девушка с характером, поставила три условия: во-первых, ей хотелось бы ехать в карете стоя (крышу чуть изогнули в середине). Во-вторых, она против подарков и в день коронации такое роскошество не примет (подарили на следующий день). А в-третьих, такому подарку место в музее. Так и не пользовалась молодая королева каретой три года, пока не пришло время свадьбы, – и 7 февраля 1901 года она не удержалась и проехалась в Золотой карете с любимым женихом, принцем Хендриком. С тех пор голландские монархи пользуются драгоценным транспортом ежегодно, в день своей речи в парламенте. Ну и на свадьбу, конечно.

В 2011 году, готовясь к свадьбе с Шарлин Уитсток, по-своему отличился князь Монако Альбер II. Карет в княжестве нет, развешивать гирлянды золота на дорогие машины тут как-то не принято, и Альбер, сам не из бедного рода, заказал изготовить работающий на электричестве ландолет, но чтоб он был лишь как будто открытый, а на самом деле – со стеклянным верхом. Прозрачную изогнутую поликарбонатную крышу толщиной 8 мм и весом 26 кг конструкторы приготовили в специальной печи и установили на свадебный автомобиль Lexus LS 600h Landaulet без единой рамы или видимого крепления.

Казалось, на машине будет разъезжать на своей свадьбе и принцесса Ира фон Фюрстенберг, наследница баден-вюртембергских князей и владельца компании «Фиат». Но 15-летняя невеста в 1955 году играла свадьбу в Венеции, и главным транспортом на свадьбе принцессы Иры и принца Альфонса Гогенлоэ-Лангенбургского стали гондолы – черные, алые и, конечно, золотые.

Вверху: Кронпринц Брунея с невестой Сарой на золотом кабриолете. 2004 г.
Справа: Князь Монако Альбер II, княгиня Шарлин и их ландолет с невидимой крышей. 2011 г.

Пироустройство

ЛЕБЕДЬ, БАРАНЬИ ЯЙЦА, ЧЕРЕМША И КРАПИВА –
ВСЕ ЭТО ЕЛИ И ЕДЯТ НА КОРОЛЕВСКИХ СВАДЬБАХ.
ПРАЗДНИЧНЫЙ ОБЕД, КОНЕЧНО, ДОЛЖЕН БЫТЬ
ВКУСНЫМ, НО ГЛАВНОЕ ТУТ – ЧТОБЫ ВСЕ АХНУЛИ.

Баварского герцога Георга не зря прозвали Богатым: его свадьба с польской принцессой Ядвигой Ягеллонской стала самой сытной свадьбой Средних веков. Хроники города Ландсхута содержат подробный отчет 1475 года: на свадебных празднествах съели 323 вола, 1133 овцы, 11 500 гусей и 194 345 куриных яиц. Пиры в то время были продолжительными, но не стоит считать двадцатилетнего жениха и восемнадцатилетнюю невесту такими уж обжорами – это был настоящий народный праздник. Десять тысяч человек несколько дней ели исключительно за счет герцога. Эхо той свадьбы живет до сих пор, каждые четыре года в Ландсхуте устраивают грандиозную историческую реконструкцию, благо хронисты герцога записали не только бухгалтерию: там и костюмы, и церемонии, и даже рыцарский турнир.

Свадьба – праздник с незабываемым вкусом, как говорится, «и я там был, мед-пиво пил». В честь бракосочетания австрийской принцессы Марии Луизы с Наполеоном в 1810 году простых парижан накормили жареной ягнятиной, а в 2011 году в день свадьбы Кейт Миддлтон и Уильяма британцы устроили свои праздничные обеды прямо на улицах. 5500 улиц перекрыли по всей стране, чтобы расставить у домов столы, а уж сколько людей отметило королевскую свадьбу – не сосчитать.

Глава британского правительства Дэвид Кэмерон с официальной церемонии в Вестминстерском аббатстве пришел на праздник, организованный у крыльца его квартиры на Даунинг-стрит, 10, и вместе с соседями поглощал бутерброды с яйцом, желе, сладкие напитки и чай. Капкейки – маленькие кексы с кремом – испекла его жена Саманта. Правда, не в одиночку, ведь приглашенных было больше ста человек – активисты благотворительных организаций со всей страны и дети из соседних домов.

Незабываемые впечатления остались у гостей свадьбы Марии Медичи и французского короля Генриха IV в 1600 году. Перемен блюд было больше пятидесяти, а перед обедом, когда три сотни приглашенных расса-

Жители Ландсхута в память о богатой монаршей свадьбе и в XXI в. соблюдают средневековый дресс-код. 2009 г.

живались за столы, у каждого из сложенной салфетки вылетела птичка. На свадьбе Грейс Келли и монакского князя Ренье два голубка устроились в специальной клеточке прямо в пироге, а сопровождал их вылет на волю марш Мендельсона (игравший тоже изнутри пирога). Да что птички, в 1710 году на свадьбе будущей российской императрицы, племянницы Петра I Анны, и герцога Курляндского Фридриха Вильгельма из двух гигантских пирогов выпрыгнули две карлицы и станцевали на столе менуэт.

У древних римлян жених разламывал пирог над головой своей избранницы, позже стали посыпать невесту крошками пирога – чем не начало сегодняшней традиции осыпать новобрачных рисом, лепестками роз или конфетти? Конфетти, кстати, бывали и съедобными – так называли смесь орешков и сухих фруктов. Гости на свадьбе Лукреции Борджиа и принца Феррарского в 1502 году съели целых 120 килограммов таких конфетти.

Древний английский рецепт «пирога невесты» 1685 года рекомендует делать на-

Слева: В ожидании закусок. Свадебный банкет в честь бракосочетания кронпринцессы Швеции и Даниэля Вестлинга. 2010 г.
Внизу: Совсем не уличные стулья и бдительные полицейские – а в остальном праздник у резиденции премьер-министра Великобритании в день королевской свадьбы был как у всех. 2011 г.

чинку из устриц, семян пинии, петушиных гребешков, бараньих яиц, а также бараньих зобной и поджелудочной желез с пряностями. Несладкий и традиционный русский свадебный пирог – курник. Звезда допетровского свадебного меню – лебедь, это кулинарное чудо в перьях подавали на праздничный стол целиком. В те же времена на свадьбах английского короля Генриха VIII (он их играл шесть раз) новобрачных и гостей кормили зажаренным петухом – его тоже украшали оперением и золотили клюв.

В 1615 году принцесса Анна, дочь испанского монарха Филиппа III, выходит замуж за Людовика XIII, и на ее свадьбе французы впервые попробовали горячий шоколад. Испанцы привезли какао-бобы из Америки и догадались добавлять в горький напиток сахар (почти сто лет рецепт держали в секрете). После королевской свадьбы весь XVII, да и XVIII век шоколад считали не просто энергетическим напитком, а афродизиаком – ему самое место на свадьбах.

Но что же главная свадебная сладость – многоэтажный торт, каждый раз особенный и неповторимый, как свадебное платье невесты? Мода началась почти пару веков назад, английская королева Виктория рассылала в 1840 году сувенирно упакованные ломтики торта во все концы своей необъятной империи. Один из тех кусочков недавно показывали на выставке, а ломтик торта со свадьбы принцессы Луизы 1871 года, аккуратно завернутый в специальную подарочную бумагу, даже продали на аукционе за 215 долларов США.

Это бесконечное соревнование в росте, весе и украшениях: у норвежской принцессы Метте-Марит на торте были корабли викингов, у Софи Риз-Джонс – ракетки (она познакомилась с женихом на теннисном турнире), а торт английской принцессы Анны в 1973 году сделали вровень с ней самой, ровно метр шестьдесят – тоже находка на фоне всех этих сахарных небоскребов.

Королевские манеры проще демонстрировать с маленькими порциями. Шведская кронпринцесса Виктория за десертом

125

Меню праздничного ужина из четырех перемен блюд на свадьбе Виктории, кронпринцессы Швеции, и Даниэля Вестлинга

☙

Лангустин с летними трюфелями и трюфельной икрой, треска в цитрусовом маринаде, в цветочных лепестках на огуречном желе и холодный суп из зеленого горошка с икрой ряпушки.

Арктический голец в травах, перепелиное яйцо пашот, зеленая спаржа и свекла с соусом из крапивы и черемши.

Филе телятины в обжаренном луке-шалоте, картофельный гратен с сыром Allerit, томатный террин и варенная с тимьяном морковь в капустном листе, под соусом из эстрагона.

К каждой перемене блюд – отдельное вино: немецкий Riesling Trocken Estate 2010, Weingut Wittmann (Rhinehessen), калифорнийское Overlook Chardonnay 2007, Landmark Vineyards (Sonoma County), бургундское Gevrey-Chamber-tin Les Evocelles 2007, Domaine de la Vougeraie (Côte de Nuits), и австрийский десертный Riesling Eiswein 2009, Weingut Huber (Neiderösterreich).

*Клубничный мусс с сердцевиной из ревеня
и ванильное мороженое в белом шоколаде.*

Через год после свадьбы, в духе скандинавской прозрачности и близости монархии к народу это меню стали предлагать подданным в стокгольмском ресторане Operakällaren, стоящем напротив королевского дворца. Свадебный ужин для наследницы шведского престола готовил как раз шеф-повар этого ресторана, так что придумывать заново ничего не пришлось. К известному меню просто добавили ценник – 1300 шведских крон (где-то шесть тысяч рублей), а с винами почти в два раза дороже. Это цена на одного, но кто ж такое ест в одиночку.

Медовый месяц

СЧИТАЕТСЯ, ЧТО МЕСЯЦ ПОСЛЕ СВАДЬБЫ –
САМОЕ СЛАДКОЕ И БЕЗЗАБОТНОЕ ВРЕМЯ
СУПРУЖЕСТВА. ПРАВДА, К ПРИНЦЕССАМ
ЭТО ЧАЩЕ ВСЕГО НЕ ОТНОСИТСЯ.

Во-первых, все немедленно ждут от нее потомства. Во-вторых, требуют безупречных королевских манер. А в-третьих, хотят узнать: принцесса, королева, императрица – какая она на самом деле? «Словно я какое-то чудовище на арене цирка», – поделилась чувствами 16-летняя императрица Австрии Елизавета. И, оказавшись на арене, справляются с этим все по-разному.

Британская принцесса Елизавета, чтобы чувствовать себя привычнее, медовый месяц в 1947 году сообразила на троих – для себя, мужа Филиппа и любимой собачки Сьюзен породы корги. Заодно это была и демонстрация вкусов, причем после коронации они не изменились: герцог Эдинбургский по-прежнему муж, любовь к собачкам у Елизаветы не ослабла.

> *Королева Нур (американка Лайза Халяби, ставшая четвертой женой иорданского короля Хусейна) устроила медовый месяц на десятерых! Подход практичный: с двумя прошлыми женами король развелся, еще одна трагически погибла в авиакатастрофе, но дети-то от браков остались, и со всеми принцами и принцессами новоиспеченной королеве надо познакомиться, наладить отношения. Послесвадебный отдых на Красном море получается самое то.*

Одно дело, если невеста – главная в браке. Шотландская королева Мария Стюарт в 1565 году первые дни медового месяца без устали танцевала на балах, а потом наделила любимого жениха лорда Дарнли полной королевской властью. Закончилось все печально (лорда убили, а позже и королевство Мария потеряла) – но, теряя голову от любви, по крайней мере, она за все отвечала сама.

Или вот английская королева Виктория, которая в 1840 году даже предложение немецкому принцу Саксен-Кобург-Готскому делала сама: Альберт не имел права обращаться к суверену с таким дерзким вопросом. После свадьбы Виктория (символ викторианских нравов) позволила себе расслабиться ровно так, как ей хотелось: никуда не уезжая, просто побыла рядом с любимым. Ходила на прогулки. Наблюдала, как он бреется. Позволяла ему помочь ей одеться. Влюбленной королевы хва-

тило на два дня, а потом: «Дражайший мой, дела не могут ждать» – и снова за работу.

Для Марии-Луизы Австрийской медовым месяцем весной 1810 года стала деловая поездка мужа Наполеона по завоеванным территориям современной Бельгии: дождь, грязь, бесконечные мельницы за окном. Но Мария-Луиза помнила: главное – наследник! Ведь с первой женой, императрицей Жозефиной, Наполеон развелся, поняв, что детей от нее не будет. Отвратительный медовый месяц главному не помешал: меньше чем через год после свадьбы у Марии-Луизы родился сын.

Ирония истории: вместе с правами для женщин пришла и свобода прессы. Современ-

Романтический момент. Королева Виктория и принц Альберт

ные принцессы решают вместе с мужем, куда махнуть на отдых, но в медовый месяц они по-прежнему на нервах – теперь из-за папарацци. Пронюхают? Подглядят? Снимут? Тут многое зависит от мужа. Первый супруг монакской принцессы Каролины Филип Жюно в 1978 году сам пригласил модного фотографа на Таити, куда молодожены поехали отдыхать после свадьбы (разумеется, за право фотографировать жениху заплатили). Через два года принцесса все-таки развелась с предприимчивым Жюно, который еще и получил от монакского княжества 2 млн долларов отступных. Второй муж Каролины, Стефано Казираги, тоже запомнился свободной прессе. Зимой 1984 года молодожены уехали на медовый месяц в Швейцарские Альпы и обнаружили у дома караулящих журналистов. Любитель гоночных авто Казираги вышел на улицу, сел в свой «лендровер» и протаранил машинки папарацци.

Настоящий королевский медовый месяц надо готовить как спецоперацию: сообщать журналистам ложные маршруты, петляя и меняя рейсы. А еще лучше задействовать полицию, как поступили в 1968 году норвежский кронпринц Харальд и кронпринцесса Соня. Чинно отплыв под камеры из Осло на королевской яхте «Норвегия» якобы в Мексику, конспираторы вскоре причалили к берегу близ норвежской столицы, провели первую брачную ночь в королевской резиденции, потом переждали у знакомых в горах и улетели на Гавайи. Причем американцы поставили им визы в фальшивые паспорта на имена Тома и Евы Манстад. Вот так, чтоб провести медовый месяц по-королевски, пришлось переквалифицироваться в простолюдинов.

Медовый месяц на Таити: монакская принцесса Каролина на пристани (вверху) и рядом с мужем (внизу). 1978 г.
Справа: Счастливые дни в Балморале. Принц Чарльз и Диана после свадьбы в Шотландии. 1981 г.

Глава
3

· · · · · · · · · · ·

Самые
знаменитые
королевские
свадьбы мира

· · · · · · · · · · ·

Грейс, княгиня Монако

Утром 12 апреля 1956 года в 10 часов 10 минут в залив Геркулес у средиземноморского побережья крошечного княжества Монако зашел океанский лайнер «Конституция». К нему резво подплыла яхта «Deo Juvante II» (по-латински – «С Божьей помощью»), и на ее палубу с американской громады спустилась девушка в пальто из темно-синего фая и широкополой шляпке из органди со швейцарскими кружевами. К «самому желанному жениху Европы», тридцатидвухлетнему монакскому князю Ренье III, прибыла еще как желанная всеми двадцатишестилетняя голливудская красавица Грейс Келли. Она знает, что станет принцессой, но еще не подозревает о том, что ее сияние на киноэкране – уже история, одиннадцать фильмов сняты, двенадцатого не будет никогда.

Ч астный самолет друга Ренье, знаменитого миллионера Аристотеля
Онассиса, пролетел над яхтой
и осыпал ее дождем из гвоздик.
Лайнер гудком поприветствовал Грейс и ее
возлюбленного, ответно загудели яхты, стоя-
щие в бухте, но и они не могли заглушить
восторженных криков многих тысяч собравшихся на берегу монакцев и туристов со всего
мира.

Недалеко от Монако – Канны, место все-
мирно известного кинофестиваля, и меньше
года назад Грейс приехала туда со своим филь-
мом «Деревенская девушка» («The Country
Girl»), за роль в котором получила «Оскар».
Журналист «Paris Match» Пьер Галант угово-
рил тогда Грейс на съемку с князем Монако,
о котором она ничего раньше не слышала.
Грейс согласилась, но в назначенный день,
5 мая 1955 года, в последний момент чуть не
пошла вместо фотосессии в парикмахерскую.
Опоздала. Но оказалось, Ренье опаздыва-
ет еще больше. Наконец пришел, даже не
извинился. Ничего не предвещало счаст-
ливого романа: недолгая прогулка, щелчки
фотоаппарата – и все.

Через полгода Ренье приезжает в Америку.
«Вы ищете себе жену?» – привычно спраши-
вают его на пресс-конференции. Князь от-
некивается. Но добирается до Филадельфии
и приходит в гости к родителям кинозвезды –
построившему с нуля успешный бизнес мил-
лионеру Джеку Келли и его супруге Маргарет.
Туда же приехала и сама Грейс. Совместный
ужин, прогулка. Не пробыв вместе и 24 часов,
Ренье делает Грейс предложение. Она согласна.

Грейс не знала, что Ренье давно ищет
себе супругу, и это было не только желание
повзрослевшего мужчины, а и политическая
необходимость: если у княжеского трона не
будет наследника, Монако фактически станет
территорией Франции. Скольких красавиц
разглядывал и оценивал Ренье? Вот уж точно Грейс не старалась ему понравиться. Но
что-то ему в ней запомнилось, что-то его
взволновало. «Настоящесть» экранной звезды? Ее королевская естественность? А может,
уже признанному эталону вызывающей сек-
сапильной красоты (князю предлагали заду-
маться о знакомстве с Мерилин Монро) Ренье
предпочел эталон другой, только появивший-
ся, – элегантную, временами таинственную
красоту Грейс Келли?

Но почему же именно он? Потому что
принц? Потому что небедный? Отец Грейс,
миллионер, возмущенно отказывался давать
за дочь 2 млн долларов приданого, но ему
рассказали о состоянии Ренье. Потому что ка-
толик? Ведь многих ухажеров дочери родители отвергали из-за «не той» веры... Ни тогда,

На шмуцтитуле: Поцелуй года. *На предыдущей странице:* Коронация звезды. Венчание в соборе Святого Николая
Слева: Юный князь Ренье – наследник монакского престола. *Справа:* Пятилетняя Грейс (вторая справа) с братом и сестрами – наследники
филадельфийского миллионера Джека Келли (крайний слева). 1935 г.

ни потом Грейс не могла объяснить, все-таки почему она согласилась так быстро: «Мне казалось, что это правильно, я так чувствовала и я этого хотела».

> *20-минутную гражданскую церемонию бракосочетания 18 апреля 1956 года проводят в княжеском дворце в относительно камерной обстановке: всего сотня гостей и несколько операторов с камерами. Все собрались в тронном зале XVI века. На фоне розовых тонов с позолотой блистает Грейс – нежно-розовое платье с бежевыми кружевами и элегантный облегающий головной убор из органди. Она сидит на стуле в центре зала, а чуть поодаль от нее – Ренье в черной визитке, светло-полосатых брюках, белой жилетке с серым галстуком. За ними в правой части зала – гости со стороны жениха, в левой – со стороны невесты.*

Грейс, похудевшая за неделю предсвадебных хлопот на 5 кг, признавалась, что все ужасно нервничали (один из помощников князя в первый день свадьбы даже упал в обморок). Во время церемонии Грейс временами поглядывает на Ренье, но тот невесту словно не замечает, ерзает на стуле, поправляет воротник, нервно мнет пальцы, покусывает губы. Почти неслышно отвечая «да», под конец молодожены расписываются. Это церемония без поцелуев (этикет не позволяет), а Грейс пока и не принцесса, на сутки она становится «мадам Гримальди».

Сотни зевак, стоящих перед дворцом в ожидании молодоженов, раскрывают зонтики – начинается дождь, словно снимающий напряжение долгожданного дня. Вечером на гала-представлении в опере Грейс и Ренье уже совсем не так скованны.

На следующий день – венчание в кафедральном соборе Святого Николая, благословленное Папой Римским Пием XII. Повсюду мощные осветительные приборы и кинокамеры, тут не только журналисты, это операторы голливудской киностудии MGM. Будущая принцесса Грейс не витала в облаках, она заключила договор со своим работодателем, по которому забывались ее старые обязательства работать со студией еще два года, MGM получала права на киносъемку свадьбы, а Грейс доставались костюмы с ее последнего фильма, мюзикла «Высшее общество» (того самого, на съемках которого Грейс, по сценарию как раз выходящая замуж, надевала обручальное кольцо с 12-каратным бриллиантом, подаренное Ренье).

Но главное – свадебное платье Грейс, остающееся эталоном одеяния невесты до сих пор. Главный художник по костюмам MGM Хелен Роуз сшила роскошное платье цвета слоновой кости с тюлевым шлейфом почти

Свадебное платье – экспонат Музея искусств Филадельфии, родного города Грейс Келли

4-метровой длины. Вышитые жемчугом шелк и тафта украшены брюссельскими кружевами XIX века. На ногах – расшитые жемчугом же классические туфельки (каблучок 6,3 см) с круглым носком. Волосы гладко зачесаны под небольшую шапочку, лицо прикрывает вуалетка, в руках у Грейс – букетик ландышей.

⚜ Отец подводит Грейс к алтарю из белого мрамора, где она ждет Ренье. Да, тот снова прибывает позже (ведь по традиции все и должны ждать суверена!). На нем наряд собственного сочинения по мотивам формы наполеоновских генералов: голубые брюки с золотыми лампасами, черный свадебный мундир с расшитыми золотом обшлагами, многочисленные ордена и темно-синий «наполеоновский» головной убор с белыми страусиными перьями.

И Ренье, и Грейс говорили потом, что с большей радостью обвенчались бы без шумихи и полутора тысячи журналистов. Но представить «свадьбу века» без зрителей невозможно! Монакский епископ Жиль Барт венчает своего князя и американскую красавицу в присутствии 600 гостей и делегаций из 25 стран. Торжественно зачитываются все титулы теперь уже настоящей принцессы Грейс – их 142.

Монаршьи дома Европы прислали подарки, но сами не приехали – семья Гримальди известна скверным характером, да и настроение на этой свадьбе другое. «Там слишком много голливудских знаменитостей», – сказала Елизавета II. Главные звезды, кроме новобрачных, и вправду голливудские: Глория Свенсон, Ава Гарднер, Кэри Грант.

Рядом – родители новобрачных, которые, к сожалению, так и не станут друзьями.

Джон Брендан Келли ведет дочь под венец

Родственникам Келли кажется, что княжеская семья смотрит на них свысока, да и 800-летняя история Гримальди, древнейшей правящей семьи на континенте, не впечатляет жителей Филадельфии. А родители князя Ренье разведены, они и между собой-то не ладят, не то что с другими. Что за одежда у этих американцев! Что за манеры! Мать жениха на обеде выговаривает сестре невесты, запившей улиток молоком, а сестра жениха еще до свадьбы холодно отказала Келли, предложившей ей стать подружкой невесты. Член королевской семьи не может выступать в такой роли, это нарушение придворного этикета! К счастью, родители будут жить далеко и друг от друга, и от княжеского дворца, Келли и Ренье не будут больше устраивать общих сборов родни.

Церемония окончена, князь и княгиня Монакские выходят из собора. Стоит великолепная весенняя солнечная погода, Грейс и Ренье садятся в открытый «роллс-ройс» – подарок жителей Монако. Эти два дня объявлены праздничными, и на улицах молодоженов приветствуют, наверно, все 20 тысяч монакцев. Сопровождаемые овацией, их высочества едут по улицам государства, ведь все княжество – каких-то два квадратных километра, растянувшиеся вдоль Лазурного Берега. Церемонию на телеэкранах смотрят 30 млн человек по всему миру, гости приглашены на свадебный обед в княжеском дворце, где свадебный пирог разрезают княжеской шпагой.

Грейс и Ренье веселятся с гостями недолго: через несколько часов они уходят и вскоре появляются уже в дорожной одежде, тихо прощаются и отправляются в свадебное путе-

шествие на той самой яхте принца, на которой он встречал любимую в заливе Геркулеса. «С Божьей помощью!» – девиз семьи Гримальди – плавали вокруг Корсики, Майорки и Ибицы, где еще не было развитой туристической индустрии. По возвращении из путешествия через 7 недель принцесса Грейс была беременна.

Первой – через 9 месяцев и 4 дня после свадьбы – у княжеской семьи родилась принцесса Каролина, еще через год – долгожданный наследник престола Альбер, а потом принцесса Стефания. Грейс не вернулась на экран: даже когда ей предложили захватывающий сценарий, подданные не захотели никому отдавать свою Грейс, и она не могла их подвести. Отныне и до конца жизни она только княгиня Монакская. «Грейс нашла для себя такую хорошую роль», – заметил про свою любимую актрису Альфред Хичкок. ༄

Второй год супружества. Князь и княгиня Монако с дочерью Каролиной и наследником престола Альбером. 1958 г.

ДИАНА, ПРИНЦЕССА УЭЛЬСКАЯ

*«Ради бога, звоните! Мне вас будет не хватать!» –
19-летняя Диана Спенсер оставила эту записку трем
своим подружкам, с которыми жила в лондонской
квартире на Колгерн-Корт, и 23 февраля 1981 года
переехала в Клэренс-Хаус, резиденцию британской
королевы-матери. Полтора года назад приехав в Лондон,
Диана въезжала в эту квартиру, чтобы спокойно жить,
работать воспитательницей в садике, няней... Но вскоре
пресса разузнала про ее роман с принцем, и тихой жизни
тут не получилось: однажды Диана даже выбиралась
из квартиры через кухонное окно, чтоб отправиться
к Чарльзу без «хвоста».*

24 февраля Чарльз и Диана объявляют о своей помолвке и впервые позируют фотографам вместе. Васильковый цвет костюма, в котором Диана вышла к прессе, мгновенно получил ее имя – «Lady Diana blue». Она начала задавать моду даже раньше, чем стала принцессой! Через пять месяцев на их королевскую свадьбу в платьях васильковых тонов придут и мама, и мачеха Дианы, и подружки из квартиры на Колгерн-Корт, и даже премьер-министр Великобритании Маргарет Тэтчер.

Работа воспитательницы, маленькая красная машинка Mini Metro и улыбчивая, почти простодушная манера Дианы никого не вводили в заблуждение: невеста принца – настоящая леди, дочь графа, девушка из древнего знатного рода (что в Британии всегда заметят). Хотя перспектива стать принцессой,

говорила потом Диана, не особенно перевернула ее жизнь: «Деньги у меня и раньше были, в большом доме жила – я не ждала, что мой образ жизни серьезно изменится». Она просто выходила замуж по любви.

Они познакомились, когда Диане было 16, а Чарльзу – 28, он заехал в гости в их поместье Элторп. За обедом Диана чувствовала себя «какой-то толстой коротышкой, не накрашенной, неумной», но заметила, что принц обратил на нее внимание. Удивилась. Отметила про себя, что он очарователен. Смущалась она еще и потому, что парней у нее до сих пор не было. Чарльз стал первым.

На церемонию их венчания 29 июля 1981 года в лондонском соборе Святого Павла собрались 2500 приглашенных гостей, несчитаные сотни тысяч вышли на улицы британской столицы, чтоб поприветствовать принца и принцессу, и более 700 миллионов человек по всему миру смотрели прямую трансляцию из Лондона – это был рекорд и для королевских свадеб, и для тогдашнего телевидения.

На предыдущей странице: В сиянии славы. Принц Чарльз и Диана, только что ставшая принцессой Уэльской
Вверху: Тринадцатилетняя Диана с шетландским пони летом 1974 г.
Внизу: Первое фото вместе. Принц Чарльз и леди Диана в знаменитом васильковом платье. 1981 г.

Поздравить старейшую монархию Европы съезжались представители большинства королевских домов, и первой шла Грейс, княгиня Монакская, в широкополой соломенной шляпке. Четверть века она была главной селебрити европейских монархий, и вот на ее глазах рождалась сверхновая звезда.

В 10.42 утра в собор прибывает Елизавета II с ближайшими родственниками. В нарядах женщин правящей фамилии – королевское разноцветье: у Елизаветы – аквамарин, у ее сестры принцессы Маргарет – цвет персика, кузина графиня Кентская – в розовом, королева-мать – в зеленом и дочь, принцесса Анна, – в желто-белом наряде.

В сопровождении двух братьев появляется жених, принц Чарльз. Он одет в форму Королевского военно-морского флота с почетнейшими рыцарскими орденами Соединенного Королевства. Через левое плечо, наискосок, широкая синяя лента ордена Подвязки, внизу на ней – медальон с изображением святого Георгия. На груди, сразу под горлом, – крест Великого магистра ордена Бани, слева – звезды ордена Подвязки и ордена Чертополоха.

В 11 часов под звуки «Trumpet Voluntary» Иеремии Кларка вместе с отцом, графом Спенсером, в собор заходит невеста.

Невероятно сказочно пышное тафтяное платье цвета слоновой кости, в оборках и оборочках, блестках, жемчугах и с тайной золотой подковой, зашитой на счастье, с почти восьмиметровым шлейфом (длиннее, чем был на свадьбе ныне правящей королевы Елизаветы). В тон платью – туфельки на низких деревян-

ных каблучках, покрытые узором-сеточкой со 150 жемчужинами и с кружевной аппликацией-сердечком в центре.

Диана четыре минуты идет к Чарльзу, в руках у нее – каскадный букет, в центре которого – гардении и золотые розы сорта «Граф Маунтбаттен», водопадом спускаются цветки стефанотиса, миниатюрные листья плюща и традесканции, вплетены и традиционные для британских королевских свадеб ростки мирта и вероники. Этот свадебный стиль 80-х – пышный наряд невесты и букет-водопад – возник как раз благодаря принцессе Диане.

Церемония в соборе Святого Павла длится чуть более часа, взволнованный жених забывает поцеловать невесту, а та путается в его именах: вместо «Чарльз Филип» говорит «Филип Чарльз» (так зовут его отца). Наконец под рев толпы, слышный и внутри собора, они выходят наружу, садятся в ландо и сквозь толпы подданных, машущих «Юнион Джеками», направляются в Букингемский дворец. Там, на балконе, Чарльз наконец-то поцелует Диану к восторгу заждавшейся публики.

Через 11 месяцев Диана родит наследника престола Уильяма, в 1984 году – младшего сына Гарри, но только через десять с лишним лет после «главной королевской свадьбы» вначале слухами, потом косвенными признаниями, а потом и в откровенных интервью Диана расскажет, что скрывалось за сказочной картиной того дня. Что задолго до свадьбы она узнала о старой знакомой Чарльза – разведенной Камилле. Что сразу после помолвки у Дианы на нервной почве началась булимия и свадебное платье на ходу перешивали (талия все сужалась и сужалась, с 74 см аж до 59,7 см). Что за два дня до свадьбы Чарльз подарил Камилле золотой браслет. Что на самой церемонии Диана искала Камиллу глазами все то время, пока шла к алтарю, и таки увидела под конец, уже на выходе из собора Святого Павла... Что ни принц, ни королевская семья

так и не приняли принцессу за свою, и спасали Диану разве что звонки тех самых подруг, что жили вместе на Колгерн-Корт.

Пройдет еще немного времени, Чарльз публично подтвердит свой роман с Камиллой, разведется с принцессой, Диана погибнет в автокатастрофе, принц женится на своей давней возлюбленной... К концу XX столетия та «свадьба века» окончательно станет мифом, и уже не знаешь, была ли она на самом деле или ее выдумали добрые английские сказочники. ❧

Слева: Торжества для детей на лондонской Оксфорд-стрит по случаю королевской свадьбы
Справа: Отдельный поклон – зрителю номер один

Вверху: До венчания несколько минут. Диана поднимается по ступеням собора Святого Павла
Внизу: Граф Спенсер ведет дочь к алтарю собора Святого Павла.
Из третьего ряда на невесту смотрит Камилла Паркер Боулз, пришедшая на свадьбу в белом

Масако, кронпринцесса Японии

Первый раз принц сделал ей предложение на берегу императорского утиного пруда. Выдержав паузу, через отца она ответила, что «решить не в состоянии». Принц Нарухито настаивал, снова и снова звонил Масако Огава, и она согласилась на встречу, и второй раз он предложил ей руку и сердце – у себя дома, в Восточном дворце в Токио. Масако вновь попросила время на размышление. Она работает в МИДе, она столько сил потратила ради карьеры – и что теперь?

К делу подключилась императрица, переговоры вели больше с отцом девушки, министром иностранных дел страны Хисаси Овада. Саму Масако, похоже, обнадежили, что кронпринцесса в чем-то тоже дипломатический пост, с ее-то опытом и языками. Наконец 12 декабря 1993 года 33-летний Нарухито, уже ставший старейшим холостяком-кронпринцем в истории Страны восходящего солнца, получил согласие своей 29-летней возлюбленной.

Они познакомились 7 лет назад на приеме в честь визита испанской принцессы, и для Нарухито это была любовь с первого взгляда, а для Масако, похоже, не более чем участие в светском мероприятии. Служба церемониала устраивала принцу знакомства с десятками девушек – только из высшего круга, только коренных японок, младше и ниже принца. Масако вообще-то не соответствовала этим строгим критериям: из высокопоставленной, но не аристократической семьи, долго жила с отцом-дипломатом за границей (в СССР и США), уж очень образованная (закончила Гарвард, говорит на шести иностранных языках, включая русский), да еще и на 1 см выше наследного принца.

У Нарухито, впрочем, были свои представления о прекрасном: познакомившись на приеме, они с Масако не раз встречались, показывали друг другу свои старые фотографии. Но то ли давление службы церемониала, то ли не очень горячее одобрение прессы на время отодвинули их роман. Масако снова уехала за границу, учиться в Оксфорд, а Нарухито продолжил покорно встречаться с новыми претендентками, которые не особо горели войти в императорские покои. И их можно понять, ведь «двора» в европейском понимании у японской монархии нет и круг общения императора и его семьи очень узкий. У них нет паспортов и денег, обслуга следит за каждым шагом обитателей дворца, а о любом выходе наружу (даже посещении собственных родителей) надо заранее просить Службу церемониала – да еще могут не разрешить. Ни одна из новых знакомых принцу не нравилась, на каждой пресс-конференции его мучили журналисты все теми же вопросами о женитьбе – и наконец Нарухито разыскал потерявшуюся из вида Масако и встретился с ней у города Итикава, на берегу утиного пруда.

9 июня 1993 года в старом деревянном храме на территории императорской крепости церемония проходит по древним ритуалам японской религии синто.

Невесту омывают священной водой и одевают в дзуни хитоэ, разноцветные шелковые накидки по образцу одежды тысячелетней давности, самый верхний слой – изумрудного цвета с крупными узорами цветков жасмина. Эти полотна все вместе тянут на 16 килограммов и передвигаться в них можно лишь небольшими шажками. Подол, склонившись, несут не девочки, а почтенные дамы. Волосы невесты, вымоченные в масле камелии, прикреплены к традиционному головному убору с помощью золотого гребня. В руках у нее кедровый веер, лицо выбелено, алеют ярко накрашенные губы.

Кронпринц одет в онинохо – древний многослойный наряд цвета восходящего солнца, на ногах широкие кремовые штаны – хакама – и такого же цвета туфли. На голове – черная лакированная шляпа с длинным, торчащим назад на полметра «хвостом»,

в правой руке – сяку, белый жезл кронпринца. Сопровождающий несет за принцем сложенный шлейф церемониального костюма.

Само бракосочетание священно, его не показывают в телетрансляции, и присутствуют

Вверху: Новобрачные в традиционном свадебном облачении
Внизу: Соседи Масако Овада вместе с почтительными полицейскими радуются за будущую принцессу накануне свадьбы

на нем кроме новобрачных всего несколько человек, причем родителей жениха и невесты среди них нет. Нарухито преподносит веточку вечнозеленого дерева сакаки богине солнца, от которой, по преданию, берет начало древнейшая монархия мира, и произносит клятву верности (невеста лишь добавляет свое имя). Наконец молодые пьют саке из трех лакированных чашечек. Обмена кольцами нет, тем более нет поцелуев. Все очень просто. Даже строго.

После бракосочетания Нарухито и Масако встретились с родителями жениха – императором Акихито и его супругой Митико – на церемонии Первой Аудиенции, но прежде они переоделись в привычную миру свадебную одежду.

На невесте наряд, сшитый первой японской кутюрье Ханае Мори: платье и жакет с воротником, похожим на лепестки цветущей вишни, и короткими рукавами. Ожерелье и диадема, подарок свекрови, декорированы бриллиантами, из-под жакета едва виднеется Большая лента ордена Драгоценной короны. Жених – в черном утреннем костюме, белом галстуке-бабочке и цилиндре, на груди – красно-синяя лента и звезда Высшего ордена Хризантемы.

После трапезы с монархом молодые едут по Токио в открытом «роллс-ройсе», перед глазами двухсоттысячной толпы и пятисотмиллионной телеаудитории. В стране выходной, транс-

ляцию смотрят и по домам, и на гигантских уличных экранах, а главные счастливцы, стоя по маршруту кортежа, неистово машут новобрачным сотнями тысяч маленьких японских флажков.

Поздно вечером к молодым, наконец уединившимся в спальне Восточного дворца, торжественно заходит пожилой бывший камергер дворца с супругой – на подносе с изображениями аистов они принесли четыре серебряных блюдечка, и на каждом – двадцать девять рисовых булочек «мочи» (по числу лет, прожитых невестой). Последняя церемония свадебного дня затягивается: четыре вечера подряд молодые должны молиться о ниспослании им ребенка, поглощая при этом булочки, а на пятый день поднос, блюдца и оставшиеся булочки по традиции закапывают в саду.

Через 8 лет, после одного выкидыша и, вероятно, экстракорпорального оплодотворения, у них родилась дочь, но законы наследования императорского трона признают только мужчин. Ситуацию спас младший брат Нарухито, принц Акисино и его жена, принцесса Кейко: у них родился сын Хисахито, который, очевидно, наследует трон после Нарухито. Уставшая от общественного давления и жестких дворцовых правил принцесса Масако последнее десятилетие очень редко появляется на людях. По официальной версии, она страдает от депрессии, но подробности этого запущенного случая миру неизвестны. Масако, в 1993 году названную прессой «принцессой поневоле», все увереннее называют просто самой несчастной принцессой на Земле. ❧

Слева: Первая встреча с родителями жениха
Вверху: Апельсины – в разные корзины. Накануне четвертого дня рождения принцесса Айко гуляет с родителями в саду при дворце Тогу

Рания,
королева Иордании

Палестинский педиатр Фейсал Аль-Ясин повидал в жизни всякое, из-за войны дважды бежал с семьей за границу: из Тулькарма в Кувейт, а оттуда в Амман, но когда в гости к тебе приезжает лично король Иордании – волнение скрыть трудно. Монарх прибыл не просто так, а по делу. В январе 1993 года старший сын короля, Абдалла, повстречал на званом ужине дочь Аль-Ясина Ранию, и вот спустя всего два месяца король и сын приехали просить руки 22-летней девушки. Все выглядело романтично и немного церемонно, Аль-Ясин ответил согласием, объявили о помолвке принца и начали готовиться к свадьбе.

Р ания Аль-Ясин даже в столице вполне либеральной Иордании выглядела очень эмансипированно: выпускница Американского университета Каира с дипломом «мастера делового администрирования», опыт работы в Ситибанке и в представительстве Apple – деловая женщина на взлете своей карьеры. Знала бы она, какая судьба ей уготована, когда шла на тот самый январский ужин к сестре принца!

Абдалла, старший сын короля Иордании, в свой 31 год уже закончил военные академии в Британии и США, отучился в Оксфорде и Джорджтаунском университете. Кадровый военный, любитель гонок и парашютного спорта, он приехал с учений в столицу страны Амман на выходные. Пришел на ужин к сестре и сразу заметил гостью. Терять время не стал – проговорили весь вечер. Рания рассказывала потом, что это откровенное внимание

На предыдущей странице: Командовать парадом будем мы. Официальное фото короля Абдаллы II и королевы Рании. 2001 г.
Внизу: Иордания празднует десять лет интронизации Абдаллы II. 2009 г.

молодого человека на первой же встрече ее смутило и даже напугало: все-таки принц...

На студенческих фотографиях Рания выглядит немного иначе, чем на официальных фото позже. Когда девушка изменила форму носа — говорить не принято, но и до пластической операции у Рании — уверенный взгляд умницы. Хотя крепкий, приземистый Абдалла на полголовы ее ниже, он не раздумывал — ему не нужна была послушная красавица, тихо семенящая позади... «Как ни банально звучит, да, это любовь с первого взгляда», — признавался потом Абдалла. «Взаимная», добавляла Рания. Значит, быть ей принцессой при вечном принце в военной форме — ведь иорданский монарх давно решил, что корона

после его смерти перейдет не сыну Абдалле, а младшему брату короля.

Мало ли принцев на Ближнем Востоке! На бракосочетание амманского не-наследника мир внимания не обратил, но в Иордании свадьбу 10 июня 1993 года праздновали все. Почти полвека страной правит король Хусейн, который считается прямым наследником пророка Мухаммеда, и вот в одну из самых знатных арабских семей входит простая девушка, дочь врача-беженца! Она станет бриллиантом семьи Хашимитов, предсказывает бабушка жениха, королева Зайн.

Свадебный наряд заказывают британскому кутюрье Брюсу Олдфилду, давно шьющему для принцессы Дианы. Вдохновение он черпает, разглядывая старые платья сирийской знати, хранящиеся в лондонском Музее Виктории и Альберта. Остроносые туфельки, пышная юбка, широкий пояс (аксессуар, часто

Вверху: Торжествующая улыбка. Первые шаги принцессы Рании
Внизу: Королева Рания посещает бедуинскую деревню на севере Иордании. 2006 г.

заметный в нарядах Рании), жакет с короткими рукавами и широкими лацканами – все из сияющего белизной шелка с цветочными узорами, вышитыми золотой нитью. Длинные каштановые волосы Рании зачесаны назад и вверх, их украшает бриллиантовая диадема.

По дороге в королевский дворец – последнее бытовое неудобство допринцессной жизни: статная невеста с высокой прической не могла нормально сидеть в машине, потолок для нее оказался слишком низким! Во имя красоты пришлось ехать на свою свадьбу полулежа, откинув голову назад.

Потом ее встретил любимый в темно-синем парадном мундире – черный галстук, белые перчатки, широкий красный пояс, медали на груди. Их самая известная свадебная фотография сделана хитро – жених кажется на голову выше невесты, потому что она встала на ступеньку ниже. Деликатная Рания быстро научилась правильно позировать фотографам для семейных фото. После церемонии молодожены объезжали столицу королевства уже в кабриолете.

Празднование с несколькими сотнями вип-гостей в королевском дворце проходило под салют и со специальным приветом от друзей жениха: товарищ Абдаллы приземлился с парашютом на площадке перед дворцом. Шестиуровневый свадебный торт жених и невеста разрезали саблей, держа ее вместе.

Отгуляв в расширенном составе, на закрытую вечеринку остались только самые близкие

Маленькие дети, ни за что на свете! Рания представляет в Нью-Йорке свою книгу для детей «Обмен бутербродами» («The Sandwich Swap»), 2010 г.

свадебный торт, теперь в четыре уровня, и его снова разрезают саблей, а танцы продолжаются до рассвета.

Через год у них родился сын Хусейн, еще через два — дочка Иман. Казалось, Ранию ждет тихая жизнь любимой жены восточного феодала, но в 1999 году король Хусейн неожиданно для всех изменил свою волю и за две недели до смерти назначил старшего сына кронпринцем. Так 37-летний Абдалла стал королем Иордании, а его 29-летняя супруга Рания — самой молодой королевой в мире.

Ее лицо замелькало на обложках гламурных журналов, красавицу из Аммана открыли для себя все мировые СМИ. Рания словно убеждает всех, что «королева» — это не статус, а ежедневная работа: она пропагандирует инвестиции в образование и развитие системы микрокредитов для женщин-предпринимателей, пишет детские книжки о взаимопонимании культур. Открывает страницу в Фейсбуке и канал на Ютюбе, куда призывает всех присылать свои стереотипы об исламе, ведь Запад и Восток должны говорить друг с другом! Образование женщин, права детей, компьютеры в каждый класс — в XXI веке Рания ежегодно входит в рейтинги самых влиятельных женщин мира и уж точно становится главным женским лицом современного ислама.

И при всем при этом она остается мамой уже для четверых детей и любящей женой иорданского монарха Абдаллы II. Какая еще королева может сегодня поместить в Твиттере фото своего мужа в кожаной безрукавке и джинсах на «харлее», с подписью: «Ну разве мой король не красавец?» ❧

друзья. Абдалла сменил галстук на бабочку, а темно-синий мундир — на короткий белый смокинг, Рания переоделась в другое платье от Брюса Олдфилда — не такое скромное, с открытыми плечами и V-образным вырезом, но тоже белое с обильной золотой вышивкой. Украшений больше — в волосах несколько драгоценных цветков, в ушах другие сережки и сияющее ожерелье на груди. Еще один

Жители дворцов строят замки из песка. Король Абдалла II и королева Рания с детьми: принцессой Сальмой (сидит), принцессой Иман и кронпринцем Хусейном. 2003 г.

Метте-Марит, кронпринцесса Норвегии

У нее за плечами с горем пополам оконченная школа, богемная столичная жизнь с выпивкой и наркотиками и несколько неудачных романов. Один бойфренд бросался на нее с ножом, и она спасалась с помощью полиции. От другого, отсидевшего за хранение кокаина, забеременела. Сыну уже два года, воспитывается у бабушки, а она – Метте-Марит Тьесем Хейби – только рассталась с очередным другом, жилья нету, подрабатывает официанткой.

Oн – Хокон Магнус – только вернулся в Норвегию после трех лет обучения в Калифорнийском университете, перед которым окончил военную академию на родине. Вроде все благополучно, но ему уже 26, отношения с девушками складываются не очень, нескольких оставил он, а последняя ушла сама, заставив его помучиться.

Когда эти ровесники – Метте-Марит и Хокон – в июне 1999 года встретились на летнем рок-фестивале в Кристиансанне, это выглядело скорее курортным романом, уж слишком печальный у обоих был опыт серьезных отношений. Но слово за слово, она сказала, что ей негде жить, он предложил: «Живи у меня». Она переехала в его холостяцкую квартиру в центре Осло, но спали они поначалу в разных комнатах. То, что Хокон – наследный принц норвежского королевства, Метте-Марит знала, но значения не придавала: «Плевала я на эту монархию», – признавалась она подруге. Ей и правда было сложно представить, что ее жизнь когда-то будет подчинена дворцовому протоколу.

Да только Хокон был настроен серьезно – и Метте-Марит ему поверила. Они продолжали жить в одной квартире, несмотря на то что девушке приходилось убегать через черный ход всякий раз, когда к принцу заезжали в гости родители. В декабре 1999-го об очередной подруге наследника престола прознала норвежская пресса, и влюбленные наперегонки с журналистами стали собирать по друзьям все фотографии и видео, которые могли бы девушку скомпрометировать. Разоб-

лачения в газетах следовали одно за другим: череда сомнительных бойфрендов, алкоголь, экстази, связи с преступным миром (правда, не участие в криминале, а просто общий круг знакомых). И что, эта мать-одиночка, бурно проведшая молодость, станет когда-нибудь нашей королевой?

Метте-Марит явно не ожидала такого внимания к себе, злословия и репортеров на каждом шагу. Она заперлась дома и, похоже, впала в депрессию. Хокон не стал отсиживаться и дал откровенное интервью: да, я люблю ее. Принц даже поинтересовался у своей старшей сестры, принцессы Мэрты-Луизы: не хотела бы она унаследовать трон вместо него? Но сестра отказалась, у нее у самой появился жених совсем не королевской биографии: скандальный датский писатель, в прошлом не гнушавшийся проститутками и кокаином. Король и королева по поводу возлюбленной наследника поначалу энтузиазма не высказали, но и запрещать ничего не стали – они были в курсе, сколько раз принцу уже не везло в личной жизни. К тому же нынешний норвежский король в свое время сам ставил ультиматум родителям – «не разрешите – откажусь от трона» – и таки женился на любимой девушке. Была у родителей, да и у многих в стране, надежда, что все как-то само рассосется – ну не первая это любовь в жизни уже опытного мужчины. И когда 1 декабря 2000 года объявили о помолвке кронпринца, в Норвегии всерьез задумались о судьбе монархии – выдержит ли она такую скандальную невесту?

Полгода перед августовской свадьбой были, наверно, самым странным временем в жизни Метте-Марит. Счастливые приготовления, выбор фасонов, рецептов и мелодий никто не отменял, но все это проходило в нарастающем напряжении: как отнесутся к свадьбе норвежцы? Как жить с такой репутацией, если ты каждый день на виду? Наконец за три дня до свадьбы невеста на специально созданной пресс-конференции покаялась в многочисленных грехах, подтвердив журналистские рассказы о своей разгульной юности и подчеркнув, что сейчас – никаких наркотиков. И – ей поверили и простили!

Свадьбу 25 августа 2001 года заранее посчитали самым необычным королевским бракосочетанием, да так оно и было. Жених прибывает к кафедральному собору первым и ждет невесту, которая отказалась от обяза-

тельной церемонии и не хочет, чтоб ее к алтарю сопровождал отец. Пара заходит в церковь вместе, а за ними, вместе с девочками-подружками, шагает сын Метте-Марит, четырехлетний Мариус, одетый пажем.

Романтический свадебный наряд невесты, белый с легким бежевым оттенком, из плотного шелкового крепа, драпированного нежным тюлем, поражает своей элегантной простотой. Длинные рукава, обтягивающий корсаж со скромным вырезом, а книзу силуэт растворяется в расширенной юбке с двухметровым шлейфом. Фату с эффектом песочных волн длиной в шесть метров венчает на убранных в шиньон волосах тиара 1910 года – подарок короля и королевы Норвегии.

Четырехлетний Мариус на руках мамы-принцессы на балконе Королевского дворца

Сдержанный образ скромной принцессы, если не знать, что этот фасон модельер Ове Хардер Финсет создал, почти повторив свадебное платье королевы Норвегии – первой после восстановления монархии в 1905 году. Норвежцы тогда пригласили править датского принца Карла, женатого на английской принцессе Мод, которая, как и Метте-Марит сегодня, совсем не рассчитывала на подобный поворот судьбы.

В присутствии королей Швеции и Бельгии, королевы Дании, наследников британского и шведского престолов епископ Гуннар Стальсет обращается к невесте со словами, которые вряд ли когда слышали принцессы: «Со смелостью и верой ты говоришь "да" неизвестному будущему. Ты начинаешь новую главу своей жизни с чистыми страницами». Невеста то и дело вытирает слезы белым платочком, жених сдерживается, но с трудом – наконец они чуть дрожащими голосами говорят «да» и обмениваются кольцами из белого золота. После церемонии, на которой хор кафедрального собора пел в сопровождении джазового саксофониста Яна Гарбарека, молодожены забывают про церемонности и целуются на улице прямо перед камерами.

Конечно, были и поцелуи на балконе королевского дворца, выйдя на который Метте-Марит ахнула, не скрывая восторга перед огромной толпой на площади. На балкон к ним выходит родня, уставшего четырехлетнего сына невеста берет на руки, практично повесив гирляндовый букет на балкон, как ленту. Так и махала она своей стране, которая все-таки признала в ней принцессу и будущую королеву. 〜

Слева: Семиэтажный торт – редкая традиционная деталь этой необычной королевской свадьбы
Вверху: Рождественская кулинария. Королевская семья готовит имбирное печенье. 2004 г.

МАКСИМА, КОРОЛЕВА НИДЕРЛАНДОВ

Когда девушка уезжает из родного Буэнос-Айреса работать в Нью-Йорк, от нее, конечно, ждут интересных новостей, но не таких же! Максима Соррегьета как-то рассказывала родителям по телефону, что встречается с каким-то Александром, но однажды позвонила и уточнила: «Он принц Нидерландов». «Младший?» – переспросил папа. «Нет, старший». – «Ты с ума сошла!» Но Максима и сама не сразу разобралась. Познакомились они в апреле 1999-го в Испании на одном празднике. Хозяева попросили гостью пофотографировать собравшихся. И это простые люди на камеру реагируют спокойно, а принцы повсюду видят папарацци. Не то чтобы молодой человек и девушка поругались, но начало ничего хорошего не предвещало – уж точно никакой любви с первого взгляда.

Хотя, разговорившись с обаятельной банкиршей, Александр на нее запал. Потом были попытки дозвониться до нее в Нью-Йорке и, наконец, поездка к девушке, которая, правда, признавалась, мол, ну и что, что принц: «Да я и лица его не запомнила».

Когда же девушка разглядела «Александра из Нидерландов» и ответила ему взаимностью, начались настоящие трудности. Репутация принца на родине никак Максиме не мешала: откуда ей знать, что сын королевы в школе учился так себе, в бурной молодости заслужил прозвище «пивной принц», лихачил на авто и однажды даже свалился в кювет. Годы (а может, и любовь?) изменили кронпринца, и первое, о чем действительно пришлось поволноваться Максиме, – это не жених, а его мама. До сих пор королева Беатрикс не одобряла ни одну из девушек, приглянувшихся принцу, шансы невесты и на этот раз выглядели не очень: родом из незнатной семьи, католичка. Но встреча с родителями возлюбленного прошла гладко: мама поинтересовалась ее университетскими предметами и жизненными планами, а папа, перейдя на родной для Максимы испанский, поговорил об искусстве и ее родине – Аргентине.

На предыдущей странице: Так становятся принцессами. Виллем-Александр надевает кольцо своей невесте Максиме Соррегьете
Внизу: Выход к людям. Жених и невеста покидают Новую церковь Амстердама

Максима и не подозревала, что с родиной и была связана главная проблема. По голландской конституции монарх имеет определенное влияние на политику государства – но парламент, в свою очередь, влияет на выбор монаршей супруги. Специальная комиссия не нашла проблем ни в религии, ни в статусе претендентки, а вот ее отец стал камнем преткновения: Хорхе Соррегьета служил в аргентинском правительстве во времена кровавой диктатуры. Да, он занимался всего лишь сельским хозяйством, но ведь он не мог не знать об убийствах тысяч людей! Споры вышли за стены парламента, и казалось, вся Голландия

обсуждает, отвечает ли дочь за отца и как тут быть. После трех встреч специальных посланников с отцом невесты сошлись на том, что свадьба состоится, но без него (а вместе с ним дома решила остаться и мама невесты).

Масла в огонь подлил и разнервничавшийся принц, бросившись цитировать аргентинского диктатора Хорхе Виделу. Тут уж все схватились за голову, но Максима (уже выучившая голландский) прямо сказала журналистам о женихе: «Он поступил не очень умно», – и все, пресса с тех пор на ее стороне.

Раннее утро 2 февраля 2002 года было хмурым, но к началу церемоний тучи над Амстердамом развеялись. Пара прибывает в здание бывшей торговой биржи, их брак регистрирует бургомистр голландской столицы, первым делом сказавший: «Наши мысли сегодня и с родителями принцессы Максимы». Главная же церемония – рядом с Королевским дворцом, в Новой церкви Амстердама.

> *30-летняя невеста одета в платье цвета слоновой кости из японского шелка микадо со стоячим воротничком. Из-под тиары ниспадает расшитая цветами фата, шлейф платья от Валентино тянется на пять метров – для фотографий его расправляют, и он кажется гигантским лепестком. В руках у невесты – букет из белых роз, лилий, гардений и ландышей.*

34-летний будущий король Нидерландов Виллем-Александр – в темно-синей форме капитана военно-морского флота, на груди у него звезды кавалера ордена Золотого льва Нассау и кавалера Большого креста ордена

«Adiós Nonino». Принцесса Максима слушает танго Астора Пьяццолы

Нидерландского льва, через правое плечо перекинута лента синего цвета с оранжевыми полосками. Оранжевый – цвет правящего монаршего дома, это главный цвет для 80 тысяч уличных зрителей. У многих, занимавших места с вечера, даже спальные мешки оранжевые. За благословением в церкви наблюдают коронованные особы из Бельгии, Норвегии, Люксембурга, Швеции, японский кронпринц Нарухито и принц Уэльский Чарльз.

Церемонию проводит голландский пастор Карел тер Линден, рядом с ним – католический священник Рафаэль Браун, друг семьи невесты. Новобрачным в церкви дарят подарки, невесте – редкую Библию на голландском языке 1637 года, а жениху – Библию на испан-

ском. Торжественную строгость разрядила заминка с кольцами: невеста с легкостью надела жениху его платиновое обручальное кольцо, а вот принц возился с колечком долго и под конец, уже хохоча, вкручивал его на пальчик любимой двумя руками.

А потом в церкви зазвучало танго. На бандонеоне его играл голландский музыкант Карел Крейенхоф, и это было танго знаменитого аргентинца Астора Пьяццолы «Adiós Nonino» – «Прощай, папа». Можно только догадываться, что чувствовали в эти минуты отец и мать Максимы, наблюдавшие за прямой трансляцией в Буэнос-Айресе, – а невеста расплакалась, даже не успевая промокать глаза платочком, и слезы капали прямо на платье.

В той же церкви, где они венчались одиннадцать лет назад, Виллем-Александр стал королем, Максима – королевой-консортом. 2013 г.

Рядом, одетые в длинные бордовые наряды, плакали подружки невесты – младшая сестра Инес и школьная подруга Валерия Дельгер. Казалось, невеста и вправду прощается с родителями, своей страной и всей прошлой жизнью, которая останется за порогом королевских покоев.

Выйдя под приветственный рев толпы из собора, сияющие новобрачные проехались в золоченой карете к дворцу и оказались на балконе, украшенном белыми цветами в стиле букета невесты. «Поцелуй! Поцелуй!» – требуют подданные, размахивая приготовленными оранжевыми флажочками с надписью «Kiss». Принц с принцессой поначалу только машут в ответ (принц привычно грациозно,

а Максима – от души), но потом, словно забыв о десятках тысяч людей на площади, поворачиваются друг к другу и не торопясь начинают целоваться. Раз, два, три... Семь раз!

За десять лет совместной жизни у них родилось три дочки. Максима, конечно, оставила банковский бизнес – одиннадцать лет она отработала принцессой, а после восшествия мужа на голландский престол в 2013 году стала королевой. Но это не просто церемонии, ведь она иммигрантка, и для нее оказалось так естественно помогать приехавшим в Голландию иностранцам, развивать программы интеграции. А с родителями Максима все-таки видится – они часто приезжают к ней в гости. ❧

Велосипед – семейный транспорт голландской монархии. Максима с мужем и тремя дочерьми. 2008 г.

Летиция, принцесса Астурийская

17 октября 2002 года на квартире корреспондента, когда-то бравшего большое интервью у наследника испанского престола, принц Фелипе встретился с ведущими журналистами страны. Это не пресс-конференция – скорее вечеринка, все за одним столом, еда, разговоры. Публикаций не будет, собрались, чтобы разглядеть и лучше понять кронпринца. Только гораздо позже бывшая на той встрече журналистка Летиция Ортис узнала, что главным героем был не принц, а она и ее место за столом рядом с Фелипе было не случайным.

Летиция – лицо главного канала страны TVE, она делала репортажи с американских выборов президента и после терактов в Нью-Йорке. Фелипе попросил знакомого корреспондента их познакомить, для того и придумали встречу с журналистами. Летиция продолжала работать в новостях, на полтора месяца уезжала на войну в Ираке, но, оказывается, Фелипе после той «случайной» встречи только о ней и думал. Через полгода кронпринц открылся и назначил Летиции свидание.

У 35-летнего Фелипе было много романов, но избранницы не устраивали маму, королеву Софию, да и пресса не одобрила ни испано-аргентинку Изабель Сарториус (ее родители в разводе!), ни американку Джиджи Ховард (модель!!), ни норвежку Еву Саннум (рекламирует нижнее белье!!!). Остановив выбор на Летиции, Фелипе, казалось, повторяет свои ошибки: 30-летняя Летиция не аристократка, родители (папа – журналист, мама – медсестра) в разводе, да она и сама разведенка, потом жила с бойфрендом, в церковь не ходит. На что он расчитывает? И любимую работу придется оставить. Эти вопросы наверняка задает себе сама Летиция, но отказаться от свиданий с Фелипе не хочет – все-таки с самой первой встречи и он ей понравился, хотя виду она сразу не подала.

Лето 2003-го – непростое. Летиция дважды уезжает из Мадрида, как бы на отдых, а на самом деле собраться с мыслями, все взвесить. Наконец она дает согласие, и Фелипе представляет ее родителям. Получасовая встреча с кофе и минеральной водой проходит сдер-

жанно, за вежливыми разговорами. Фелипе отвозит девушку домой, возвращается – и видит на лицах короля и королевы явное неодобрение. «Не то». Ах не то? Он дает родителям два месяца, чтобы они подумали, и подумали хорошо, ведь он по-настоящему влюблен и он единственный наследник престола – что будет, если он откажется от трона?

Тем временем надо убедить всех испанцев, что Летиция – правильный выбор. Фелипе, как и год назад, идет на хитрость. Он просит руководство телеканала TVE доверить журналистке вести вечерние новости, самую рейтинговую программу – уж тогда ее точно полюбят в каждом доме. 29 сентября Летиция первый раз выходит в эфир – и никто, даже сами телебоссы, не знает, что вещает она главным образом для двух телезрителей – короля и королевы. И операция сработала! 1 ноября королевские величества официально объявляют о грядущей свадьбе их сына и «доньи Летиции».

Но трудности на этом не закончились. Уйдя с телевидения, Летиция никак не может привыкнуть, что она теперь будущая принцесса. На первую встречу с журналистами приходит в белом брючном костюме – где же скромность? Скандал. Она отвечает на вопрос, Фелипс ее прерывает, мол, долго, она реагирует мгновенно: «Дай закончу!» Журналисты рядом хохочут, но эта простолюдинка перечит наследнику престола – для консерваторов опять скандал.

Даже свадебный день 22 мая 2004 года прошел на нервах. В марте в Мадриде случился страшный теракт, от взрыва в поезде погибли почти 200 человек, пострадали больше полутора тысяч. Свадебная программа сокращена (нет девичника, уличных гуляний, вечернего светового шоу), столицу заполнили 23 тысячи бойцов спецподразделений и 200 снайперов,

в небе – истребители-бомбардировщики F-18 и самолет-разведчик системы «Авакс».

И вот в соборе Альмудена собрались все 1400 гостей (представители королевских домов Европы, испанская элита, зарубежные послы), принц Фелипе ждет не дождется невесту у алтаря. Проходит пять минут. Десять. И представить трудно, что он думает. Королевскую свадьбу последний раз играли в Мадриде 98 лет назад, и тогда от бомбы анархиста рядом с каретой новобрачных погибли два десятка человек. Неужели история повторяется? Пятнадцать минут ожидания. За принцем наблюдают не только собравшиеся в соборе: миллионы смотрят прямую телетрансляцию. Наконец брови принца подпрыгивают – и он облегченно улыбается. Просто дождь, слегка накрапывавший во время сбора гостей, превратился в настоящий южный ливень. Для Летиции

спешно нашли «роллс-ройс» из королевского гаража и подвезли ее к самому входу.

Подвенечное платье будущей королевы, из валенсийского шелка цвета слоновой кости, создал 86-летний испанский модельер Мануэль Пертегас. Оно, слегка расклешенное от талии, кажется чуть тяжеловатым, но незабываемым его делает вырез, словно распахивающийся воротником-стоечкой. Золотые и серебряные узоры в форме лилий (эмблемы правящего дома Бурбонов), клевера, колосьев пшеницы и плодов земляничного дерева (символа Мадрида) – на воротнике, рукавах, почти пятиметровом шлейфе и на остроносых туфельках. Это свадьба в цветах: в руках у невесты лилия, пшеница, яблоневый цвет, флердоранж и розы; цветами снизу вверх украшены колонны собора Альмудена и миллион цветов высажен в Мадриде в честь долгожданной королевской свадьбы. В ушах Летиции сверкают платиновые сережки с десятью бриллиантами – подарок короля и королевы, на голове – платиновая тиара, отдельный подарок королевы Софии, надевавшей тиару на свою свадьбу.

Церемонию проводит архиепископ Мадридский Руоко Варела. Произнося клятву верности, Фелипе даже забывает слова и подглядывает в шпаргалку. По испанской традиции он принимает из рук епископа тринадцать старых золотых монет – «аррас» – и сыплет их в ладони Летиции, как бы показывая, что готов обеспечить жизнь новой семьи. Невеста их возвращает, подтверждая, что их доходы отныне будут общими.

Принц и принцесса Астурийские выходят из собора под музыку Генделя, едут по улицам города, возлагают цветы в базилике Пречистой Девы Аточской и наконец поднимаются на балкон Королевского дворца. Поцелуи только в щечку – в губы не будет, местные традиции не позволяют королевским особам таких вольностей на людях. Но примета «невеста под дождем – к скорой беременности» блестяще подтвердится: через полтора года после дождливой свадьбы родится инфанта Леонор, а еще через полтора года – вторая дочь, София. ❧

Слева: Первое дело принцессы – возложить свадебный букет в базилике Пречистой Девы Аточской
Вверху: Сбор гостей королевской свадьбы

Виктория, кронпринцесса Швеции

На торжественном свадебном ужине жених единственной в мире наследницы королевского престола Даниэль Вестлинг рассказал о себе так: «Жил-был когда-то молодой человек. Может, и не лягушонок... но совершенно точно не принц». Персональный тренер в стокгольмском фитнес-зале. В джинсах и бейсболке, с торчащими лохмами волос, со смешным провинциальным говором. Его родители по-прежнему живут в крохотном шведском городке Оккельбу, папа работал в муниципалитете, мама на почте. Сын, считай, выбился в люди – в 2001 году ему двадцать восемь, а он уже владелец небольшой сети фитнес-центров. Позаниматься к нему в зал пришла принцесса Мадлен, а потом привела с собой старшую сестру.

иктория родилась в королевской семье первой, но по шведским законам трон должен был переходить старшему сыну монарха. Впрочем, вскоре Швеция первой из европейских монархий это неравенство устранила. В два с половиной года малютка Виктория стала полноправной кронпринцессой – это была ее первая победа. Другие давались не так легко. В школе поначалу она очень медленно и неуверенно читала, делала много ошибок при письме. Юная принцесса считала себя дурочкой, над ней смеялись одноклассники, пока не выяснилось, что это легастения, болезнь, унаследованная от отца, которую можно преодолеть долгим и упорным трудом.

Выпускница стокгольмской гимназии отучилась год во Франции и год в Америке, отслужила несколько месяцев в армии, она все чаще участвует в протокольных церемониях, лицо ее то и дело на первых страницах шведских газет, но она по-прежнему повсюду появляется в одиночку. Мелькнул было какой-то спутник из богатой семьи, но вскоре они расстались. И вот летом 2002-го журналисты ловят на фото поцелуй фитнес-тренера и Виктории на дне рождения ее подруги. Король с королевой поначалу не обращают на это внимания. Какой тренер? Дочке всего двадцать четыре года, это пройдет.

Но Виктория уверена: это тот, кто ей нужен. И помнит с детства: ничего не дается

На предыдущей странице: Приглашенные в восторге от кронпринцессы Швеции и герцога Вестерготландского
Внизу: Первая помощь руками наследной принцессы. Виктория на военных сборах. 2003 г.

сразу. Она продолжает тренироваться в фитнес-центре, а Даниэль начинает свои тренировки. Меняет гардероб (прощай, бейсболка!), учит английский, французский, немецкий. Пересаживается с «альфа ромео» на «лексус». Понемногу, шаг за шагом, кронпринцесса приучает родню и друзей к своему избраннику, а избранника – к ним.

Даниэль уже живет с Викторией, но она часто уезжает. В 2005 году принцесса на целый месяц улетала в Китай. «Она вернулась домой поздно после официального приема, и перед месячной рабочей поездкой надо было долго собираться. Вместо того чтобы хорошенько отдохнуть перед дорогой, она не спала всю ночь. Она писала. Утром после ее отъезда

я увидел коробочку, а в ней – тридцать прекрасных писем, адресованных мне. По одному на каждый день, пока мы будем в разлуке».

В Швеции новобрачные в церкви идут к алтарю сами, но Виктория попросила, чтобы 19 июня 2010 года в Стокгольмском кафедральном соборе к ожидающему у алтаря жениху ее вел отец, Карл XVI Густав. Многие возмутились: это что за пережитки прошлого? Но ей важно другое: девять лет казалось, что король против моего выбора – так вот он сам выдает меня замуж за моего любимого. Чтобы не спорить с феминистками, монарх передал невесту жениху, не доходя до алтаря.

За королевской свадьбой наблюдают полмиллиарда людей по всему свету и несколько

Кронпринцесса Виктория плачет от счастья

сотен тысяч человек на улицах Стокгольма. В соборе – 1200 самых важных гостей, среди них все скандинавские монархи, королевы Нидерландов и Испании, правящая чета Монако, король и королева Иордании, кронпринц Японии.

Жених – во фраке с бабочкой, без орденов и лент. Он все еще простолюдин, титул герцога Вестерготландского и высшую награду страны – орден Серафимов – получит после венчания.

Сдержанное великолепие наряда невесты – заслуга шведского кутюрье Пера Энгшедена. Виктория в белом с кремовым оттенком платье из атлас-дюшеса, с заниженной линией плеч, короткими рукавами и широким поясом, от которого тянется пятиметровый шлейф. Скандинавский минимализм – ни завитков, ни узоров. Совсем незаметны белые атласные туфельки на высоком каблучке. В каскадном букете – пятнадцать видов цветов, от традиционных ландышей и роз до клематиса и космеи. Кружевная фата на невесте – обязательная свадебная деталь шведской принцессы, передающаяся по наследству от королевы Софии, жившей полтора столетия назад. А самыми яркими стали аксессуары – браслет, серьги и массивная золотая тиара с жемчугами и семью камеями, на центральной из которых изображены влюбленные Психея и Амур. Изготовленную в Париже в начале XIX века тиару император Наполеон подарил супруге Жозефине, а ее внучка стала женой шведского короля.

Держа обручальные кольца, жених и невеста берутся за руки и вслед за архиепископом Андерсом Вейрюдом повторяют клятву верности. Потом обмениваются кольцами – Виктория по-прежнему выглядит раскованной и уверенной в себе, а Даниэль таки смахивает слезу.

Хор исполняет проникновенный гимн любви «В твоих руках», написанный спе-

В полном блеске красоты. Будущая королева Швеции на свадебном банкете

циально к свадьбе Бенни Андерссоном из «АББА». Пока звучит песня, высочайшие гости подносят к глазам платочки. Затем молодожены, держась за руки и целуясь, выходят из собора. В парадном ландо они проезжают по центру города и возвращаются во дворец на многовесельной лодке с королевской символикой: островной Стокгольм непредставим без хотя бы небольшого водного путешествия.

На свадебном ужине Даниэль признается гостям: «Я имел честь встретить девушку с вликолепным чувством юмора, сильным чув-

ством долга и очень-очень умную. Чем больше я узнавал ее, тем она была неотразимей». В первый раз за день принцесса засмущалась и, кажется, вытерла слезу.

Монархи династии Бернадоттов – долгожители, и Виктория вряд ли в ближайшие годы взойдет на престол, но счастливая принцесса выбрала мужа по любви и уже родила будущую королеву, принцессу Эстель. «С Даниэлем я чувствую себя в безопасности», – говорит Виктория, и, пожалуй, она персдает свою уверенность в завтрашнем дне всему королевству. ❦

Свадебный экипаж морской державы. Жених и невеста после венчания возвращаются в Королевский дворец на лодке, раскрашенной в национальные цвета Швеции

Кэтрин, герцогиня Кембриджская

«Вот это да!» – Принц Уильям не сдерживал эмоций, глядя на однокурсницу Кейт Миддлтон в совершенно прозрачном платье. Это было в марте 2002 года: в Сент-Эндрюсском университете проводили благотворительный показ мод и, заплатив за билет 200 фунтов, Уильям впервые рассмотрел практически раздетую студентку, знакомую ему слушательницу курса истории искусств. На красавчика Уильяма, внука королевы Великобритании, в университете заглядывались многие девушки, а Кейт в его присутствии сильно краснела и вообще стеснялась.

Оказалось, у нее хулиганское чувство юмора – чего стоит одно из первых интервью, когда у Кейт спросили, правда ли, что в ее комнате висела фотография Уильяма. «Там не одна, у нее их штук двадцать было», – заметил Уилл. Но девушка отмалчиваться не привыкла: «Ну да, ему бы хотелось. Нет, у меня был рекламный постер, мужчина в левисах, а не Уильям. Извините». «Разумеется, это я был в левисах», – только и успел вдогонку пошутить принц.

Одно время студенты Уильям и Кейт вместе с другой парой снимали дом, но шли годы, а новостей о помолвке все не было. В 2007 году они даже расстались на полгода, расстроив любителей королевских романов. «Мы были очень молоды, мы искали себя», – заметил позже Уильям. «Это сделало меня сильнее», – добавила Кейт. Они и вправду не спешили.

В октябре 2010 года – на десятом году знакомства – они поехали с друзьями в Кению, и только младший брат Уильяма Гарри

На предыдущей странице: Царство красного. Парадный портрет четы
Слева: Принц-свинопас. 21-летний Уильям занят делом в поместье своего отца. 2004 г.
Справа: Такой он увидел ее впервые

знал, что в рюкзаке у принца спрятано кольцо с 18-каратным сапфиром и 14 бриллиантами (когда-то принц Уэльский подарил его в знак помолвки будущей принцессе Диане). Три недели проносив драгоценность с собой, Уильям наконец решился: уединившись с Кейт в туристической хижине, он предложил любимой руку и сердце и преподнес ей памятное семейное кольцо. «Я хотел, чтобы мама оставалась с нами», – объяснил Уильям журналистам в день объявления о помолвке.

29 апреля 2011 года в 10 часов 18 минут утра Уильям прибыл в Вестминстерское аббатство в красной форме полковника Ирландского гвардейского полка, с синей лентой и звездой ордена Подвязки и нашивкой-«крылышками», знаком пилота королевских ВВС. В серо-коричневую гамму знаменитой церкви в этот день добавлена яркая зелень – шесть английских полевых кленов символизируют «простую деревенскую свадьбу», так это задумали молодожены. Уильям в том же духе тихо подшучивал и во время церемонии: «Мы же собирались устроить небольшое семейное торжество».

И вот прибывают царствующие семейства со всего мира – из Испании, Брунея, Швеции, Марокко, Монако, Малайзии. Вышагивают британские знаменитости некоролевских кровей: Дэвид Бекхэм с беременной женой Викторией, Элтон Джон с мужем и разведенный режиссер Гай Ричи. Рядом друзья новобрачных: почтальон, мясник и бакалейщик из деревни Баклбери, где по-прежнему живут родители Кейт, и 27 спасателей-сослуживцев Уилла – всего 1900 гостей, последняя, как

обычно, королева Елизавета II с герцогом Эдинбургским.

Наконец под звон десяти колоколов аббатства появляется невеста в свадебном платье Сары Бертон, дизайнера модного дома Александра Маккуина. В прозрачных рукавах и вырезе на груди одни видят воспоминание о том платье, сквозь которое Уильям разглядел будущую невесту; знатоки моды мгновенно узнают фантазию на тему подвенечного

Вперед, в историю. Майкл Миддлтон ведет дочь к алтарю Вестминстерского аббатства

наряда Грейс Келли, а для двух миллиардов
зрителей, прильнувших к теле- и компьютер-
ным экранам, это просто образец элегантно-
го, модного свадебного платья – в ближайшие годы такой фасон, упрощая на свой лад,
примерят невесты по всему миру. Похожая
на раскрывающийся цветок атласная юбка со
шлейфом в два с половиной метра покрыта
вышивкой, перекликающейся с кружевами
на корсаже и длинных рукавах. Тот же цве-
точный узор на туфельках оттенка слоновой
кости. Венчает все неброская бриллиантовая
тиара Cartier от свекрови.

Ландыши – в венках малышек-подружек
невесты, они вплетены украшением в причес-
ку главной подружки, младшей сестры невесты Пиппы. В небольшом букете у Кейт тоже
ландыши, гиацинты, плющ, мирт и гвоздика
«Душистый Уильям».

> *Церемония проходит без заминок, и под трех-
> часовой перезвон колоколов древнего аббатства
> молодожены – герцог и герцогиня Кембридж-
> ские – в Государственном ландо 1902 года едут
> в Букингемский дворец. Если и было волнение, оно
> закончилось. Лондонцы и туристы – миллион
> человек! – весело машут маленькими «Юнион Дже-
> ками», новобрачные расслабленно машут в ответ,
> а малышка из свиты невесты даже показывает
> всем язык.*

Долгожданный момент – выход на балкон Букингемского дворца. 30 лет назад здесь
целовались родители Уильяма, теперь он сам
говорит: «Кейт, ну что, поцелуемся?» Они
целуются под восторженный рев полумиллио-
на человек, но через пару мгновений Уильям
с улыбкой спрашивает: «Еще поцелуй? Еще
один? Ну давай!» Второй поцелуй приводит

публику в полный восторг, а они уже хохочут на этом балконе, и Уильям признаётся: «Все. Больше не будем, нет. Мне неудобно».

Прием в королевской резиденции завершает свадебный торт, даже два. Один – сияющий, восьмиэтажный, из 17 фруктовых тортиков, с 900 украшений в виде цветов, его заказывала Кейт. И другой – поскромнее, домашний, просто с детства любимый торт Уильяма, из печенья и шоколада.

На приеме жених не пьет даже шампанское, и потом становится ясно почему: из Букингемского дворца, к удивлению улиц, Уильям увозит Кейт к себе домой в Клэренс-Хаус на украшенном воздушными шариками «Астон Мартине DB6 Mk II Volante», папиной машине, взятой покататься.

Вечерний присм в Букингемском дворце устраивают совсем без церемоний: папа невесты рассказывает трем сотням гостей, как Уильям первым парнем на деревне приезжал к ним на мотоцикле из военной академии, а однажды даже прилетел («Когда в саду приземлился вертолет – я понял: дело серьезно»). О растущей лысине жениха шутит его младший брат (ему можно), гости хохочут до слез. «А теперь – сюрприз!» – завершает речь Гарри, и оказывается, что один из залов Букингемского дворца, где днем в очередь выстраивались послы, теперь превратили в ночной клуб. Ну что ж, по крайней мере, соседи от шума ночной вечеринки не страдали, а королева, по сообщению пресс-службы двора, отбыла вечером на частный уик-энд. ❧

Слева: Уильям надевает Кейт кольцо под взглядом архиепископа Кентерберийского
Вверху: Папин «Астон Мартин» украсил для молодоженов принц Гарри

Глава

4

Коронные возможности

Почти королевские свадьбы

Представьте, что вы можете сыграть свадьбу, не задумываясь о расходах. Что бы такого придумать? А ведь свадьбы с размахом (дороже миллиона долларов) случаются в XXI веке каждый год, и не однажды. Назовем их почти королевскими.

Знаменитый американский гольфист Тайгер Вудс с невестой Элин Нордегрен (свадьба за $1,6 млн) заняли весь отель «Сэнди Лэйн» на Барбадосе, да еще и единственную на острове вертолетную компанию зарезервировали на все время праздника – специально, чтоб никто не подглядывал. При этом сама церемония была расслабленной: в пагоде, украшенной красными розами, на закате тропического солнца.

Свадьба российского «короля удобрений» Андрея Мельниченко и сербской королевы

На предыдущем развороте: Низкий старт. Свадебные туфельки ждут невест в магазине

красоты Александры Николич на Лазурном Берегу ($30 млн) прошла под пение выписанных звезд – Кристины Агилеры, Уитни Хьюстон, Хулио и Энрике Иглесиасов. По моде свадеб «нулевых» устроили маскарад, на котором все гостьи и невеста нарядились в медуз, но главная деталь, поразившая не пущенную на свадьбу прессу, – это венчание. Его провели в старой подмосковной часовне, специально привезенной во Францию. Если это и миф, то вполне соответствующий образу русских, теряющих голову от любви.

Самая богатая свадьба случилась в 2004 году, когда женились сразу два сына индийского магната Субраты Роя: старший Сушанто брал

в жены Ричу Ауя, младший Симанто – Чандни Тур ($128 млн). Для 11 тысяч гостей эти современные махараджи построили копию американского Белого дома, греческий храм и дворец «в духе сказок Андерсена». На «свадьбу века» съехались буквально все знаменитости Индии от премьер-министра до местных кинозвезд – в результате на несколько дней даже остановился Болливуд (снимать было некого), и кинокамеры работали только на этой двойной свадьбе под руководством именитого индийского режиссера Раджа Кумара Сантоши.

А бывают новобрачные-«миллионники», которые действительно ни за что не платят, – например американцы Триста Рен и Райан Саттер ($4,5 млн). Все началось с того, что Триста участвовала в реалити-шоу «Холостяк», где молодой человек выбирал себе невесту, – и оказалась второй (ее победившая соперница вышла замуж за холостяка). Но телекомпания ABC придумала продолжение, реалити-шоу «Холостячка», где уже сама Триста выбирала

192

себе жениха. Пожарный Райан – спортсмен, красавец, весельчак – подошел ей по всем статьям. И тогда телевизионщики на свои деньги устроили отдельный трехсерийный свадебный телепроект: жених и невеста планировали праздник тоже перед камерами. Триста выбрала белое атласное платье и белые туфельки, инкрустированные бриллиантами, но в остальном тон был ее любимый: праздник украсили розовые розы (30 тысяч из Голландии и Эквадора), в руках у невесты был букет бледно-розовых пионов, гости сидели на убранных розовым стульях, и даже песок, который молодожены ссыпали в символическую чашу, у невесты был розовый (у жениха светло-синий). Свадьбу «королей эфира» посмотрели 25 миллионов человек – один из рекордов мировых реалити-шоу! Молодожены получили от телевизионщиков еще и миллион долларов свадебным подарком, но главное – доказали, что их любовь настоящая: они не развелись, как многие богатые знаменитости. Триста и Райан уже 8 лет вместе, растят сына и дочку. ❧

Триста и Райан построили свою любовь в прямом эфире

Что позаимствовать

Принцев и принцесс, королей и королев за века переженилось столько, что из их опыта можно составлять руководство на все случаи жизни. Главное – выбрать то, что подходит сегодня именно вам. Вот несколько советов с недавних королевских свадеб.

Как известно, надевая свадебное платье белого цвета, невесты по всему миру берут пример с английской королевы Виктории. Ее свадебный венок из флердоранжа не стал таким же популярным, но если хочется чем-то украсить волосы – почему бы и нет?

Так поступила Сара Фергюсон, выходя замуж за сына нынешней королевы принца Эндрю. После венчания Сара венок сняла (мол, теперь я не просто девушка, а принцесса), и остаток свадебного дня на ее голове сияла тиара, одолженная свекровью. Если вам повезло с родственниками, можно повторить

и трюк с тиарой. Венок организовать и того проще – например, Сара выбрала для него розы, ландыши и гортензии, любимый цветок принца Эндрю.

Если свадебное платье будет с вышивкой, подумайте о символах. Между традиционными цветами и колосьями можно вплести что-то личное. У герцогини Йоркской Сары, например, на платье была буква А (по имени жениха Andrew) и даже якорь (принц служил на флоте).

Важное правило принцесс: платье и драгоценности могут быть сколь угодно пышными, но макияж и лак для ногтей всегда сдержанны. Для Кейт Миддлтон маникюрша Марина Сандоваль смешала Bourjois 28 Rose Lounge и Essie 423 Allure. Буквально следовать знаменитой невесте необязательно: цвет безупречно ухоженных ногтей невесты может быть любым, до тех пор пока он бежевый, розовый или прозрачный.

Рассаживая гостей на свадебном банкете, будущий английский король Уильям и Кейт Миддлтон выбрали для столиков названия тех мест, где развивался роман, – прекрасное решение! Каждому на входе выдавали конверт с его именем и местом, и появился дух путешествия, воспоминаний и уж точно личных историй. Например, по названию университета, где познакомились молодожены, был столик Сент-Эндрюс, а по имени деревни рядом с их домом в Уэльсе – столик с непроизносимым названием по-валлийски Llanfairpwllgwyngllgogerychwyrndrobwllllantysiliogogogoch.

Что только не украшают вензелем новобрачных на королевских свадьбах! Конечно,

Слева: Радость и испытание. Зара Филипс за несколько часов до знаменитого пира
Вверху: Свадебные платья принцесс после торжеств часто живут своей жизнью. Наряд герцогини Йоркской в пути

торт. Конечно, приглашения гостям. Что еще? На свадьбе Зары Филипс (внучки английской королевы) и капитана национальной сборной по регби Майка Тиндала в форме вензеля молодоженов приготовили небольшую ледяную скульптуру. И не просто так, а для специального алкогольного аттракциона. Внутри ледяного вензеля мастера заранее сделали тоненький туннель, проходящий, подобно трассе для слалома, сверху вниз. В воронку наверху наливали немного водки — напиток лился по ледяному коридору и на выходе оказывался охлажденным и чуть разбавленным. Следовать примеру можно с фантазией: со льдом хорошо пьются многие напитки, а выливаться они могут в подставленный бокал, а могут и прямо в рот, если пристроиться к дырочке на вензеле (это же аттракцион!).

У тех же Зары и Марка сплетенными буквами Z и M был украшен танцпол на свадебном банкете (при таком оформлении хорошо получаются фотографии свадебного вальса, снятые чуть сверху). В Монако Альбер и Шарлен расписывались ручкой, декорированной драгоценными камнями в виде букв АС, а гости этой июльской свадьбы получили в качестве полезных сувениров веера с вензелем. И не беда, если первые буквы имен жениха и невесты сочетаются не лучшим образом: Уильяму и Кейт тоже не повезло, но буквы WC писали не рядом, а одну поверх другой, и смотрелось отлично.

Королевские свадебные торты готовят по секретным рецептам, но и тут есть на что обратить внимание. Для Уильяма и Кейт 8-этажное творение готовила кондитер Фиона

Кернс, и в своей книге «Bake & Decorate» она обнародовала рецепт варианта поскромнее, но ингредиенты типично английские, и техника та же, и времени, чтобы торт пропитался, нужно столько же — минимум неделю, но чем дольше, тем лучше, даже три месяца не слишком долго.

Если разрезать торт до последнего кусочка, может хватить и на 120 гостей. Рецепт выглядит сложным, Кернс советует не волноваться, разбить работу на этапы и заложить на подготовку времени побольше.

Имейте в виду: этот традиционный британский торт — скорее кекс, с фруктами и алкоголем, так что для детей нужен вариант попроще. На той самой свадьбе по просьбе Уильяма вторым был его любимый с детства шоколадный торт. ❧

ФРУКТОВЫЙ ТОРТ С ТАМАРИНДОМ

Что приготовить перед выпечкой

3 квадратные формы – 15×15×8 см, 20×20×8 см, 25×25×8 см

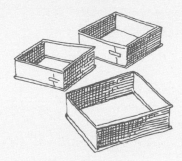

Из чего делать

Для торта стаканом по 240 мл отмеряют такие ингредиенты:

- 3 стакана засахаренных вишен
- 4 стакана золотистого и 4 стакана темного изюма
- $2^1/_2$ стакана засахаренной цедры лимонов и апельсинов
- $1^1/_3$ стакана измельченного засахаренного имбиря
- 1 стакан коринки (мелкого черного изюма без косточек)
- 6 ст. л. мелассы (эту темную патоку, привычную для британских кондитеров, у нас найти трудно – рекомендуют заменить, например, сиропом или медом того же объема, хотя это меняет вкус)

- 6 ст. л. конфитюра из горьких (диких) апельсинов
- 2 ч. л. пасты тамаринда (Фиона Кернс считает это главной изюминкой своего торта)
- Мелко натертая цедра 2 экологически чистых апельсинов (у простых вкус другой) и 2 экологически чистых лимонов
- 2 ст. л. пряностей для яблочного пирога (еще одна англосаксонская штучка – смесь разных молотых ингредиентов, обычно корицы, мускатного ореха, душистого перца и гвоздики)

🌿 *12 ст. л. бренди + еще 6 ст. л. для пропитки*

🌿 *2 стакана грецких орехов*

🌿 *2/3 стакана очищенного миндаля*

🌿 *2 ¹/₂ стакана самоподнимающейся муки*

🌿 *2 ч. л. соли*

🌿 *2 стакана и 4 ст. л. размягченного сливочного масла + еще немного, чтоб смазать формы для выпечки*

🌿 *2 стакана и 4 ст. л. коричневого сахара*

🌿 *3 стакана миндальной муки*

🌿 *10 крупных куриных яиц (слегка взбитых)*

Как приготовить фруктовую смесь

Промойте вишню, обсушите бумажными полотенцами и разрежьте каждую надвое (косточки выбросьте). В большой миске смешайте эту вишню, изюм (и золотистый, и темный), засахаренную цедру, имбирь, коринку, мелассу, конфитюр, тамариндовую пасту, апельсиновую и лимонную цедру и пряности,

добавьте 12 ст. л. бренди и еще раз перемешайте, накройте пищевой пленкой и оставьте на ночь.

Как запекать

На следующий день разогрейте духовку до 135 °C. Разъемные формы смажьте маслом, дно и стенки выстелите пищевым упаковочным пергаментом. Снаружи формы можно обернуть коричневой бумагой для выпечки и потом завязать веревочкой, чтоб не подгорело.

Грецкие орехи и миндаль на противне поставьте в духовку на 10 минут, за это время один раз перемешайте. Потом дайте немного остыть, порубите крупно и отложите.

Муку и соль просейте, масло с сахаром взбивайте добела миксером на высокой скорости не меньше 5 минут, пока не станет воздушным. Добавьте миндальную муку, потом понемногу взбитые яйца, хорошо помешивая перед каждой добавкой.

Большой металлической ложкой вмешайте сначала муку, потом отложенную накануне

Справа: Кондитер Фиона Кернс за работой

фруктовую смесь (если в миске на дне жидкость, ее тоже сюда) и орехи.

Разделите тесто по формам, заполняя каждую на одинаковую глубину. Запекайте на противне в нижней трети духовки маленький торт примерно 1 ч. 45 мин., средний от 2,5 до 3 ч., большой 3 ч. Проверять тесто, как обычно, в центре деревянной зубочисткой: если выходит сухой – готово.

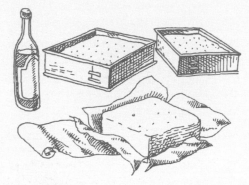

Совет от королевского кулинара: если тесто зарумянивается раньше времени, сделайте лист из фольги размером больше формы, в середине проткните дырку и прикройте этим листом торт.

Что делать с запеченными тортами

Каждому готовому торту дайте остыть в форме, наколите дырочки зубочисткой и равномерно пропитайте оставшимся бренди (не забудьте, что его должно хватить на пропитку каждого из трех «этажей» торта). Выньте из формы, использованный пергамент выбросьте, заверните в свежий, потом еще в алюминиевую фольгу и оставьте надолго – на неделю, на месяц или больше. Для большей сочности раз в две недели можно таким же образом добавлять еще примерно по 1 ст. л. бренди в каждый из трех тортов.

Что приготовить для сборки и украшения:

🙢 *три тонкие подставки (можно и из фанеры) размером 20×20, 25×25 и 30×30 см (нужны только в процессе)*

🙢 *три толстые декоративные подставки размером 15×15, 20×20 и 25×25 см и не тоньше 1,3 см (на них устанавливают три этажа готового торта)*

🙢 *декоративная подставка-«фундамент» (не тоньше 1,3 см) размером 30×30 см*

🙢 *8 деревянных шкантов*

🙢 *6 ст. л. бренди (можно и больше), 1 стакан абрикосового джема (слегка подогретого и продавленного через сито)*

🙢 *3 кг марципанов и сахарная пудра.*

Как покрыть марципаном

На тонкую подставку (20×20 см) положите толстую (15×15 см). Размажьте кисточкой по центру 1 ст. л. абрикосового джема и положите сюда, перевернув, маленький (15×15 см) торт. Если торт у́же, чем декоративная подставка, сделайте марципановую полоску такой же ширины, как и высота торта, длиной с его периметр – и обсрните торт этой полосой.

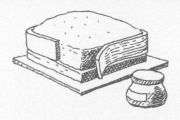

Высота у всех тортов должна быть одинаковая. Если получились разные, покройте самый маленький торт тонким слоем марципана. То же самое повторите с остальными тортами. Средний (20×20 см) кладите на толстую подставку того же размера, а ее – на тонкую размером 25×25 см. Соответственно, большой торт (25×25 см) кладите на такую же толстую подставку, и ее – на тонкую размером 30×30 см.

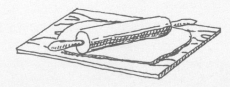

Размажьте кисточкой абрикосовый джем по маленькому торту. 800 г марципановой массы разомните, пока не станет мягкой. Посыпьте доску и скалку сахарной пудрой

и раскатайте марципан в квадратный пласт размером немного больше поверхности верха плюс стенок торта и толстой подставки, толщиной 6–7 мм. Накройте торт и подставку получившимся марципановым «покрывалом», подровняйте его и отрежьте лишнее.

Так же покройте два других торта, используя для каждого чуть больше 1 кг марципана, и оставьте их затвердеть до следующего дня.

Как «обернуть»

Для обтяжки и украшения нужны 4 кг кондитерской мастики белого или цвета слоновой кости, 2 ст. л. бренди или кипяченой воды, 2/3 стакана айсинга (в корнетике) и сахарная пудра.

Отдельно приготовьте декоративную подставку-«фундамент» – посыпьте ее сахарной пудрой и чуть спрысните водой. Разомните примерно 1 кг мастики, чтоб стала мягкой. Посыпьте доску и скалку сахарной пудрой и раскатайте мастику в квадратный пласт размером чуть шире подставки, толщиной 3 мм. Свободно накатайте пласт на скалку и раскатайте на подставку, разгладьте руками. Лишнее по краям отрежьте и сохраните в герметичной упаковке. Оставьте «обернутую» подставку высохнуть на ночь.

Для маленького (15 см) торта нужно примерно 800 г мастики, для остальных двух тортов – по 1 кг или чуть больше. Мастика

очень быстро засыхает – обтяжку надо делать быстро, поэтому работайте с каждым тортом отдельно.

Вначале размажьте бренди кисточкой по слою марципана – это «клей». На посыпанной сахарной пудрой доске раскатайте мастику в квадратный пласт толщиной 6 мм и размером достаточно большим, чтобы покрыть и торт сверху и по бокам, и декоративную подставку. Аккуратно поднимите мастику и накройте ею торт и подставку, разгладьте, но не растягивайте ее – и помните, что сохнет она очень быстро. Лишнее по краям отрежьте и сохраните в герметичной упаковке. Оставьте все три торта до завтра.

Как построить три этажа

По центру «фундамента» размажьте 1–2 ст. л. айсинга. Декоративную подставку с большим тортом осторожно сдвиньте с тонкой подставки и разместите точно по центру «фундамента».

В большой торт вдавите 4 деревянных шканта углами квадрата (на них встанет торт средний). Когда шканты коснутся подставки, сделайте на каждом метку миллиметрах в трех над тортом. Выньте шканты, отпилите у них ненужные части и вставьте каждый обратно в свою лунку. Размажьте 1 ч. л. айсинга в центре нижнего торта. Декоративную подставку со средним тортом аккуратно сдвиньте с тонкой подставки и поставьте по центру большого торта на «спрятавшихся» шкантах.

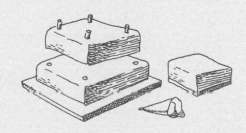

Слева: Команда кондитеров украшает королевский торт для принца Уильяма и Кейт Миддлтон
Вверху: Сладкая розочка в руках королевского кулинара

Точно так же установите третий, маленький, торт – и не забудьте для устойчивости конструкции помазать серединку среднего айсингом.

Как украсить

Из айсинга и остатков мастики можно придумать самые невероятные украшения, и в этом смысле королевский торт Кейт и Уильяма напичкан подсказками. Цветов было 17 разных видов, включая гвоздику Душистый Уильям. Не каждому имени найдешь «родственный

цветок», но всегда есть цветок любимый – можно сделать его съедобную копию. А еще можно изобразить узоры со стен зала, где проходит банкет, кружева с платья невесты и, конечно, вензель новобрачных.

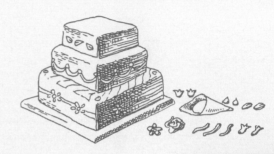

Внизу и справа: Не торт, а целая клумба. 17 видов цветов «вырастили» кондитеры на сладкой многоэтажке

Что еще почитать о принцессах

🙢 Brand E. Royal Weddings. London: Shire Publications, 2011.

🙢 Carroll L. Notorious Royal Marriages: a juicy journey through nine centuries of dinasty, destiny, and desire. N.Y.: New American Library, 2010.

🙢 De La Hoz C. A Touch of Grace. How to be a Princess, the Grace Kelly Way. Philadelphia: Running Press, 2010.

🙢 Englar M. Queen Rania of Jordan. Mankato: Capstone Press, 2009.

🙢 Macdonald F. Royal Weddings: A Very Peculiar History. Brighton: Book House, 2011.

🙢 Morton A. Diana: Her True Story – In Her Own Words. London: Michael O'Mara Books Limited, 1997.

🙢 Weir A., Williams K., Gristwood S. and Borman T. The Ring And the Crown. London: Hutchinson, 2011.

🙢 Wilding V. Real Princesses: An Inside Look at Royal Life. N.Y.: Walker & Company, 2007.

🙢 Кнопп Г. Королевские дети: Престолонаследники великих европейских монархий [пер. с нем. А. Кукес]. М.: КоЛибри, Азбука-Аттикус, 2011.

🙢 Романова М. Воспоминания Великой княжны. Страницы жизни кузины Николая II. 1890–1918. М.: Центрполиграф, 2007.

🙢 Хиллз Б. Принцесса Масако. Пленница Хризантемового трона [пер. с англ. Ю.Балаяна]. СПб.: Амфора. ТИД Амфора, 2009.

🙢 Hello! Special Collection Edition. The Royal Wedding. William & Catherine. 2011.

🙢 LIFE The Royal Wedding of Prince William And Kate Middleton. Expanded Commemorative Edition. Vol.11. No.4, May 6, 2011.

Все королевские дома (и правящие, и отошедшие от дел) давно завели себе сайты в интернете, и найти их несложно. Но о жизни прошлых, настоящих и будущих монархов регулярно пишут и некоронованные особы – вот несколько блогов на эту тему, серьезных и не очень.

http://blog.catherinedelors.com
http://madameguillotine.org.uk
http://marilynsroyalblog.blogspot.com
http://www.nettyroyal.nl
http://orderofsplendor.blogspot.com
http://princesasdelarealeza.blogspot.com
http://royalcorrespondent.com
http://royalmusingsblogspotcom.blogspot.com
http://royaltyonline.blogspot.com
http://www.royal-magazin.de
http://ru-royalty.livejournal.com
http://www.royalty.nu
http://www.theroyalforums.com
http://theroyaluniverse.com

Автор и издательство признательны всем, кто оказал помощь в подготовке книги.

Иллюстрации предоставили:
Библиотека изображений Fotobank, ООО «Ист Ньюс», ООО «Русский Взгляд», ООО «ФОТОДОМ», ФГУП РАМИ «РИА Новости», Фотоагентство DIOMEDIA, Фотобанк VOSTOCK-Photo

Фиона Кернс, удостоившаяся чести испечь пирог на свадьбу принца Уильяма и Кейт Миддлтон в 2011 году, хорошо известна в Великобритании. Свои сладкие рецепты она издала отдельной книгой (*Cairns F.* Bake & Decorate: charming cakes, cupcakes & cookies for every occasion. London: Quadrille Publishing Limited, 2010). Свадебный вариант торта с тамариндом Кернс представила в программе Nightline телекомпании ABC.

Изображения блюд шведского королевского свадебного меню любезно предоставил фотограф Йоэл Вореус (Joel Wåreus) при содействии NOBIS Hotels, Restaurants & Conference.

Оглавление

Литературно-художественное издание

Андрей Шилов

Мои большие королевские свадьбы

Редактор М. Нисенбаум
Фоторедакторы С. Пухова, А. Мертехина
Научный редактор Д. Зуев
Корректоры Н. Соколова, Т. Филиппова
Технический редактор Л. Синицына
Дизайн и верстка М. Джгерная
Дизайн обложки Т. Васильева

ООО «Издательская Группа «Азбука-Аттикус» —
обладатель товарного знака «Издательство КоЛибри»
119334, Москва, 5-й Донской проезд, д. 15, стр. 4

Филиал ООО «Издательская Группа «Азбука-Аттикус»
в г. Санкт-Петербурге
196105, Санкт-Петербург, ул. Решетникова, д. 15

ЧП «Издательство «Махаон-Украина»
04073, Киев, Московский проспект, д. 6, 2-й этаж

ЧП «Издательство «Махаон»
61070, Харьков, ул. Ак. Проскуры, д. 1

Подписано в печать 10.08.2013.
Формат 84×100/16.
Бумага мелованная. Гарнитура «OriginalGaramond».
Печать офсетная. Усл. печ. л. 20,15.
Тираж 3000 экз. N-NO-8584-01-R. Заказ № 3271/13

Отпечатано в соответствии с предоставленными материалами
в ООО «ИПК Парето-Принт». 170546, Тверская область,
Промышленная зона Боровлево-1, комплекс № 3А
www.pareto-print.ru

По вопросам распространения обращайтесь:

В Москве:
ООО «Издательская Группа «Азбука-Аттикус»
Тел. (495) 933-76-00, факс (495) 933-76-19
E-mail: sales@atticus-group.ru; info@azbooka-m.ru

В Санкт-Петербурге:
Филиал ООО «Издательская Группа «Азбука-Аттикус»
в г. Санкт-Петербурге
Тел. (812) 324-61-49, 388-94-38, 327-04-56, 321-66-58,
факс (812) 321-66-60
e-mail: trade@azbooka.spb.ru; atticus@azbooka.spb.ru

В Киеве:
ЧП «Издательство «Махаон-Украина»
Тел./факс (044) 490-99-01
e-mail: sale@machaon.kiev.ua

В Харькове:
ЧП «Издательство «Махаон»
Тел. (057) 315-15-64, 315-25-81
e-mail: machaon@machaon.kharkov.ua
www.azbooka.ru; www.atticus-group.ru

Знак информационной продукции
(Федеральный закон № 436-ФЗ
от 29.12.2010 г.)   14+